D0830900

Datt kann donnich gesund sein

Elke Heidenreich

„Datt kann donnich gesund sein"

Else Stratmann über
Sport, Olympia und Dingens…

Lizenzausgabe mit Genehmigung der
Rowohlt Taschenbuch Verlag GmbH, Reinbek bei Hamburg
für die Bertelsmann Club GmbH, Gütersloh
die EBG Verlags GmbH, Kornwestheim
die Buchgemeinschaft Donauland Kremayr & Scheriau, Wien
und die Buch- und Schallplattenfreunde GmbH, Zug/Schweiz
Diese Lizenz gilt auch für die Deutsche Buch-Gemeinschaft
C. A. Koch's Verlag Nachf., Berlin – Darmstadt – Wien
Copyright © 1988 by
Rowohlt Taschenbuch Verlag GmbH, Reinbek bei Hamburg
Einbandgestaltung: Manfred Waller
Einbandillustration: Michael Ryba
Gesamtherstellung: Mohndruck Graphische Betriebe GmbH, Gütersloh
Printed in Germany · Buch-Nr. 03834 9

I. Sport

Fußball un Familie

Ach, kommse, gehnse weck.
De Männer, nä.
Sport un Männer, wenn ich datt schon hör, die intressiern sich doch bloß für Fußball, un alles andere is Getue. De ganze Sportschau kuckense an, aber nur, damitse nich mitte Gattin oder de Kinder reden müssen, eintlich kannzese mit Wolliball oder Reiten oder sowatt jagen un se wolln bloß Fußball. Immer dattselbe. Wenn datt Wochenende kommt un du denks, du has watt von dein Ollen, watt is? Er sitzt vor de Kiste, watt, sachter, Schaufensterbummel machen? Du bis wohl nich gescheit, Else, meinze ich lassen ersten EffCe ganz alleine spielen? Un dann holter sichen Kasten Bier un ich kann kucken, wo ich bleib, un reden tuter mit mir aunnich, bloß mitten Apparat: Los, schreiter, Männeken, nu aber ma Tempo, hau ihm ein rein, gezz schick de Flanke rübber, jawolljawoll! Drauf auf den dösigen Eintänzer, zeich ihm watt ne Haake is, Tooooor! Toooor! Komm, Johannsen, quatsch nich soviel, du bis doch sowieso für Stuttgart, leck mich inne Täsch, watt is, wo läufter Ball, warum stehta keiner, ja dann lern doch Drogerie, wennze Fußball nich kanns, verdorri nomma, schick doch den Fehlkauf nache Wüste hin...
Un so gehtatt die ganze Zeit, un datt fängt schon nammitachs am Radio an. Un dann ers ahms, wennet Fernsehen kommt, dann sarich, Willi, komm,

laß wer schön im Kinno gehen, datt hasse doch alle heute nammitach schon gehört...

Ja, Sie, da is de Scheidung aber bloß fünf Minuten weck. Gehört? schreiter. Ich hör wohl nich richtich, gehört! Is datt vielleicht dattselbe wie gesehen, gehört? Andre Männer sind auffen Platz! Die sind überhaupt nich zu Hause! Sei du froh, datte ein Gatte has, der nett mit dir hier sitzt, sowatt von häuslich, wie ich bin, un dann gönnze mir nich ma datt kleine bißken Fernsehen, wo sind wer denn, Else?

Un wenn ich dann sach, aber auffet Zweite läuft Vom Winde verweht, dann wirter ers richtich fuchtich. Dann krichter sowatt Finniget im Blick.

Sooooo?

sachter.

Da läuft Vom Winde verweht? Is datt vielleicht der Film, denze ers fünfma gesehn has un wo ich dich dammals, wie wer nache Kunigundastraße im dritten Stock hingezogen sind, auch ma de Treppe so rauftragen sollte wie Clark Gäbel datt Flittchen ausse Südstaaten, un wegen sowatt sollich mein Sport lassen? Du hasse wohl nich alle.

Un dann geb ich et auf, nä.

Dann geh ich im Badezimmer un ess Baldrian oder nehm son Beruhigungsbad mit grünen Fichtennadelschaum un mach mir Röllekes inne Haare un komm ers widder raus, wenn der Kürten de Lottozahlen durchsacht, weil, Lotto, datt ist dann mehr so mein Sport, aber ich gewinn nie watt. Wissense noch, der Lehrer, der dreima hinternander sechs Richtige hatte? Da komm ich überhaupt nich drübber weck. Watt ne Frechheit auch, ich mein, wenn

8

ich *einma* sechs richtige hab, ja, dann reichtet doch, dann binnich doch zufrieden, dann hör ich doch auf un laß de andern auch ma! Nein, er spielt weiter un watt ist, dreima – wo warich?

Willi. Sport. Ach Gott, ja. Dann sitzter vort Sportstudio un kuckt Senne, Kürten oder Valerien, un alle sindse älter wie er un alle viel geflechter, aber ich daaf ja immer nix sagen, un dann gehtatt widder los:

Alten Saftaasch, nu mal los, entweder hebsse gezz ma de Beine hoch oder ab zurück nach Korea, watt is dattenn fürne Schleicharie da auffen Rasen, ister Torwaat scheintot oder watt is, wechsel den doch aus, Mann!

Un dann kommt unser Inge mit ihren neuen Freund aus dies gekachelte Geschäft unten anne Ecke un sacht, Pappa, kumma, datt is Benno, den wollze domma kennlern, un Willi sacht: Watt fürm Benno? Ich kenn kein Benno, Tach, Benno, komm, setz dich hin un kuck dir datt an, wattie sich da in Mittelfeld ein abstolpern, un Benno sacht: Datt sieht man sofort, datt Mittelfeld is total inne Wikken, kannich ma son Bier ham?

Ja, un da sitzense dann, un datt is dann Sport, nä, un wenn ich Pech hab, mussich noch mitten inne Nacht de Betten neu beziehen. Weil, seitet aussen Kataloch de Bundesligabettwäsche gibt, kann mein Willi an bestimmte Tage auf kein Fall in Könichsblau schlafen, wird ihm schlecht von.

Wer den Fußball erfunden hat, hörnse ma, der daaf mir nich inne Finger komm. Wa datter Derwall?

9

Fußball un Fernsehen

Seit Schalke im Keller vonne zweite Liga is, geht Willi ja nich mehr nachen Platz, nä. Datt erträchter nich, sachter, soviel Elend, er wollte Fußball gezz nur noch in Fernsehen kucken, un nu sowatt!
Sagense ma, is denn sowatt überhaupt möchlich un wer erlaubt datt, dattie den ganzen Fußball eimfach verkaufen, un wer datt bezahlt, daaf kucken untie andern nich? Ich mein, Fernsehen, is datt dennich öffentlich dingens, rechtlich, also Recht fürde Öffentlichkeit, wo wer doch schließlich de Gebühren für bezahlen? Un da kommen die un machen den Hahn zu un sagen Schluß gezz, ab sofort kostatt 120 Million, sonz sehter ganix mehr. Un soviel Geld ham die natürlich innet erste un zweite Programm nich mehr, weil der Peter Alexander unter Elstner un die Sigi Harreis immer so teuer sind, datt Geld is weck, un wer kauftet nu, den ganzen Fußball?
Radio Luxemburch.
Datt wa domma der Elstner, nä? Ja sicher wa datt der Elstner. Der wa da Direktor, un hat bei uns datt Geld rausgeholt, un nu kann seine frühere Firma unsern Fußball kaufen, also manchma versteh ich de Welt nich mehr, hörnse ma. Willi sacht: RTL, datt is doch Bertelsmann, da ham die datt viele Geld her, von dein dusseligen Lesering wo du Vom Winde verweht gekauft hast, halb Leder halb Pappe, un deswegen hab ich gezz kein Fußball mehr!
Ich bin ja immer irgenzwie an alles schuld dran.

Tja, unnu frachich Sie aber: son Fußballstadion, datt gehört doch de Stadt, oder? Un wenn da Pollezei nach hin muß wegen ein Spiel mit Fans, wo de Granaten fliegen, wer bezahltenn dann de Pollezei? De Stadt! Der Bürger! Un dafür dürfen wer dann nonnimma datt Spiel sehen? Ja wo sind wer denn eintlich? Un nu daaf Radio Luxemburch samstachs stundenlang Fußball senden un der aame Netzer sitzt dabei un langweilt sich, un watt is? Nix is. Weil früher, bloß de Höhepunkte un wenn wirklich en Tor fiel, datt wa ja vieltausendma schöner wie dies gezz, aber datt unser Erstes un Zweites bloß drei Minuten zeigen dürfen, da komm ich nich drübber weck, datt is die größte Frechheit un datt letzte Wort aunnonich gesprochen.

Wer is denn schon groß verkabelt?

Un watt ham wer gezz? Wie inne Fuffzigerjahre: Samstachs geht Willi nache »Notbremse« hin, datt is seine Stammkneipe hintern Bahnhof, nä, da sindse verkabelt un oben auf son Blumenbänksken stehter Fernseher, un da kuckense dann alle drei Stunden Luxemburch, watt unsere Bundesliga macht, sind überhaupt nich mehr zu Hause, trinken noch mehr Bier wie sonz un schäkern mitte Bedienung rum, ich kenn doch die Heidi ausse Notbremse, gehnse weck.

Un datt is der Punkt, wo et mich am meisten fuxt. Dies neue Fernsehen is de deutsche Familie am Zerstören mit sein Kabel un alles immer teurer un so. Da werden wer denen als Hausfrauen ma eines Tages Knüppel zwischen de Beine werfen.

Ich weiß bloß nonnich, wie...

Beckenbauer

Bei Beckenbauer tobtet bei uns durche Familie, aber schon jahrelang. Ich machen gern, un Willi kannen auffen Tod nich verknusen, »Kaiser«, sachter, »wenn ich sowatt schon hör!«
Aber für mich – also, der Mann hat watt. Brigitte hatten ja dammals noch beigebracht, wie man sich inne große Welt bewecht, wie man Anzüge mit lange Hosen trächt un wo man inne Oper klatscht un wo nich, nä, un gezz, wenn ichen so stehen seh meinzwegen beide Europameisterschaft – alle hamse Träningshosen an mit Schlumpfärsche bis inne Kniekehlen, aber Fränzken: Nadelstreifen, Schlips, Kaiser von ohm bis unten. Willi sacht: »Kann ich mir nix für kaufen, Kaiser, un schön binnich selber, watt wir brauchen, issen Träner, un is der vielleichten Träner? Ne Träne isser, aber kein Träner, der hat ja nich ma ne Tränerlizenz, so siehtet doch aus.«
Ich sach, ja un? Meine Zeit, datt wa der begnadetste Fußballer aller Zeiten, watt brauchter dennoch groß ne Lizenz, datt is ja als müßte der Bundesverkehrsminister den Führerschein machen, sowatt intressiertoch kein.
»Nix«, sacht Willi, »Minister un Kanzler un sowatt, datt kann ja soweso jeder werden, da brauchsse nich groß extra watt für können, aber Bundesträner! Datt is ja wohl watt anderes, un er daaf sich nich ma Bundesträner nennen, weiler ehmt kein

Träner is, un nun heißtatt Teamscheff, man schämt sich tot schämt man sich.«

Gott, sarich, nu sei donnich so empfindlich, ob datt nu Bundesträner oder Teamscheff heißt, Bundeskanzler oder Regierungsscheff, datt is doch ganz egal, Hauptsache, er machtatt nett.

»Er machtatt aber ehmt *nich* nett«, sacht Willi. »Du siehsset doch, bald hamwer keine Nationalelf mehr, da will ja keiner mehr mitten ollen Knöterich, der schreitse doch bloß an. Alle sollen so sein wie er ma wahar!«

Ja, sarich, is doch gut! Er wa doch toll, wennse so wären, dann hätten wert doch, da siehsse doch dran, dattie doof sind un nich der Franz?

Aber Willi findet, der hätte irgenzwie kein Talent für Leute, ers wärer jahrelang hinter den schön Maggatt hergewesen, wo datt schonnen Rentner wa, dann Völler, wo wcr doch wüßten, datter dauernd watt am Knie hat, der hattoch datt sogenannte Hinksen-Knie, nach unsern Gürgen benannt bei alle, die auch dauernd hinken, dann geht Eike Immel weck, weiler immer bloß auffe Bank sitzen muß statt im Tor stehen –

ich sach, meine Zeit, watt sintie alle empfindlich, Eike Immel, hatter nich schon auffe Bank gesessen, wie Sepp Maier noch im Tor stand, un gezz auf einma paßtet ihm nich mehr un Franz wär widder schuld dran? Ich sach Finnland, Willi, ham wer nich neulich gegen Finnland vier null gewonnen, datt wa doch schön?

»Finnland!« sacht Willi, »Finnland! Da hätten wer früher gesacht, datt is fußballmäßich gesehen is datt ne Bananenrepublik, gegen sowatt spielen wer

13

ganich groß, un gezz tunse schon wer weiß wie, wennse dagegen gewinnen.«

Ich sach, Finnland, Bananenrepublik, wo wachsen denn in Finnland schon groß Bananen, du muß auch immer alles übertreiben, aber da red ich mir ja den mund fusselich, er kannen nich verknusen un aus.

»Der muß weck«, sachter, »von mir aus kanner deutscher Kaiser bleiben, für euch Weiber, aber raus ausse Nationalelf, sonz gibtatt nochen Unglück.«

Un dann kommter mir mittat finnichste Argument so durche Hintertür,

»ich denk«, sachter, »dem seine Frauengeschichten gefallen dir nich? Hatter nich schon widder ne Neue? Datt sollte *ich* ma machen!«

Auf sowatt sarich ganix, weil, watt sollich sagen, gefällt mir ja aunnich, aber den Trumpf krichter nich. Willi will, datt Beckenbauer nach Grönland geht, »weil, inne Türkei kanner ja nich, da is schon der Derwall«, also: Grönland. Ich sach, du hassen doch gesehn neulich ins Sportstudio, vierma hatter auffe Torwand sofort getroffen, datt soll ihm domma einer nachmachen, er hält soweso mit fünnef den Rekord,

»ja«, sacht Willi, »dann hatter doch sein Auskomm, soller doch mitte ZettDeEff-Torwand über de Dörfer ziehen un für Geld drauf schießen, für Spieler hatter gedenfalls kein Händchen.«

Un dann sachter noch, datt wär wie mitten Lammsdorf inne FDP, der könnt auch mit keinem un et wär doch ganich einzusehen, un nu hätten wer so lange Strauß in Bonn verhindert, da würde er, Willi Stratmann, aunnoch Beckenbauer in deutschen Fußball verhindern.

14

Franz, ich halt zu dir. Gut, du wills auch immer de Pateilosen oder wie die heißen, nache Fidschiinseln schicken, aber der Moment, wo du vonne Bank aufstehs, ich seh dich vonne Seite mittein Kaiserprofil, du has den dunklen Anzug an un kucks einma so umwölkt nache Spieler hin – dafür verzeih ich dir immer widder alles, da bisse noch schöner wie Pater Ralf in diese traurige Serie.

WM-Endspiel '86 in Mexiko

Mich intressiert ja Fußball nich mehr, hörnse ma, aber ich muß ja, nä, wegen mein Gatte. Gezz diese WM, der hat ja nix anderes mehr im Kopp, der Mann, un wenn ich watt sach meinzwegen von Wackersdorf, dann sacht er, Wackersdorf? Watt soll dattenn fürm Verein sein, zweite Liga Süd oder watt?

Ich kenn den Mann nich widder, hörnse ma, un datt nach nu bald zwanzich Jahre Ehe, alles wegen diesen Könich Fußball. Ers war er Russe, nä.

Ausgerechnet Russe! Geheimtip, sachter, auffen Rasen is der Russe *der* Geheimtip. Ich versteh da nix von, ich möchte bloß den Alleinikow immer so gerne. Der tat mir schon leid wegen sein Name – Alleinikow! Da sindse Kommenisten, datt heißt, alles zusammen un alle für ein un alle fürde Partei, un dann heißt einer Alleinikow, watt furchba. Aber dann wa donnix mitte Russen, un Willi wurde Däne. Den Namen Beckenbauer wollter überhaupt nich mehr hören, weil der hatte gesacht: »Wenn der da ohm nich will, kann keiner siegen«, un hat nachen Himmel raufgekuckt, ja datt fehlt gerade noch, un prompt is Kohl mit Hannelore nachen Papst hin, Privataudienz, un watt wa? Gegen Marokko ham wer schon widder gesiecht, un Willi wurde Marokkaner. Ich sach, Willi, du un Marokkaner, ich seh dich schon mitten Fez auffen Kopp un dann Rammadann un fasten un kein Bier, ausgerechnet du, aber dann warer auf einma für Frankreich.

Watt, sarich, Frankreich? Bisse noch gescheit? Dein Uroppa hat Frankreich 1870 überfallen, dann dein Oppa 1914, dann dein Vatter 1940, un gezz bistu für Frankreich, laß datt kein hören – aber et hat aunnich lange gehalten. Willi hat Frankreich 1986 auffen grün Feld der Ehre geschlagen, un auf einma wa Beckenbauer widder sein Held un Sätze wie »Wir hammet geschafft! Wir sind widder wer! Wa alles bloß Taktik, außen vorbei un Siech, Siech!« in meine Küche, furchba, so sintie Männer, gehnse weck.

Un wie waret wirklich? Ich mein, ich sach ja schon, dattich nix davon versteh, aber ich hab ja Augen für zum Kucken, un watt seh ich? Allots gibten Ball nich ab, Rummenigge liecht mehr inne Matsche wie datter steht, hat Matina widder nix wie Kochwäsche schleudern, Litti dribbelt sich dumm un dusselich oder sitzt auffe Bank rum, Franz hat schlechte Laune un de ganze Mannschaft taucht nix, un gezz auf einma wär datt alle bloß Taktik gewesen –

gestern wolltern Beckenbauer noch auffe Fidschiinseln schicken, datter de Schiedsrichter Moritz lernt, gezz isset widder sein Held, aber wehe, wenn wer nu gegen Agentinien doch verlieren, dann is mein Gatte Willi Stratmann aber morgen schon Agentinier. Un wenn wer gewinnen – hu, daaf ich ganich dran denken, dann is Franz datt Herzblättchen un brauchen wer widdern neuen Prügelknabe, un dann gnade dir Gott, Boris, wennze dann in Wimbeldon verliers!

17

Formel eins

Datt geht mir ja in tausend Jahre nonnich im Kopp
rein, datt mit ein Rennwagen viel zu schnell inne
Kurve fahren, dattatt auch schon Sport is! Sport is
doch Bewegung un frische Luft un gesund sollet
sein un alles, un gezz kuckense sich ma Formel eins
an. Da sitzense in so Kisten auf Blech, ringsum
Benzin, damit wennet brennt et sich auch lohnt, un
dann im Kreis rum, stundenlang, un ein Krach! un
ein Gestank! un weit und breit kein Kattalüsator,
un da predicht sich unser Rita Süssmuth den Mund
fusselich, weilse zuständich is für Familie und
Gesundheit, wir sollen am Wochenende nich nur in
Auto sitzen, aumma anhalten un auffen Trimm-
dichplatz schön son paa Übungen machen, datt wer
im Alter nich de Baamer Ersatzkasse auffe Kasse
liegen – obwohl, wofür zahlen wer da en Leben lang
rein, ma so gesehen? – un dann kommen die mit
ihre Rennwagen daher, un datt wär dann auch
schon Sport!
Wer et sich bloß immer alle ausdenkt...
Is kla, sacht Willi, de Autoindustrie, die sind da am
Testen, watt son Reifen alle aushält, aber ich sach,
du liebe Zeit, dazu brauchen wer dann donnich
Sportveranstaltungen un durche Gegend rasen, als
wärn wer nich schon alle nervös genuch!
Gut, sollnse doch testen, aber erstens müssen se
datt ja nich inne Öffentlichkeit, de Kosmetikbrang-
sche zeicht uns ja aunnich, wattse de Tiere inne

18

Labors quälen, bis wir widder ne neue Kreme gegen Falten umme Augen haben, sowatt kann man doch stickum heimlich machen un nich noch mit Fernsehen un Leute dabei, un zweitens hamse doch inne ganze Bundesrepublik überall inne schönsten Naturschutzgebiete so nach un nach ihre Teststrecken reingeklotzt, sollnse doch da, verdorri nomma, un uns in Ruhe lassen!

Aber nein – is ja immer auch viel Angabe dabei, nä, kla, sind ja alle Männer, die sowatt machen, un die wolln, datt man se sieht un hinterher mit fünnef Litter Schampagner bespritzt, un immer schöne Mädchen anne Piste mit lange blonde Haare, un keine, die ma nach ihren Alten hingeht un en aussen Wagen zerrt un sacht: »Bistu bekloppt? Mit dreihundert Sachen inne Kurve? Du hasse wohl nich alle, du komms gezz sofort mit mir nach Hause, un unterwegs fahr *ich*!«

Nein, stehnse noch mit tellergroße Sonnenbrillen un machen ein auf sowatt von schön un kühl, un der Olle brettert durche Kurven un brennt sich auch schomman Öhrchen ab, wie Nikki Lauda damals, un andre gehn ganz tot. Aber sobald einer widder aufstehn kann un hamsen grade zusammengeflickt, sitzter schon widder inne Kiste drin wie ein Cauboy auf sein Ferd, un sowatt Ähnliches isset ja wohl auch.

Carreline von Monacco seiner machtatt ja auch, der kleine Casiraghi, nä. Drei Kinder mitte Prinzessin, aber er muß mitte andern Blödmänner umme Wette fahren. Die is doch sonz so energisch, dattse da nix sacht? Na, man steckt nich drin, nä. Warum datt Formel eins heißt, wien Waschpulver, weiß auch kein Mensch, auch bloß sonne Wichtigtuerei, datt könnte genausogut Krach hoch zehn heißen. Oder wenichstens Fimmel eins.

Wintersport

Gezz ma ganz ehrlich, Wintersport, datt is doch nu datt Dusselichste wattet gibt, oder nich? Kann der Mensch in Winter nich hintern Ofen bleiben un den lieben Gott en guten Mann sein lassen? Nein! Muß er raus im ewigen Schnee un Sport treiben, als hätten wer nache Bundesligasaison nich man ruhigen Winter ohne Sport verdient.

Un watt fürn Sport is dattenn alle? Ich bitte Sie! Da schnallense sich lange Bretter unter de Füße, sausen de Hänge runter un wundern sich, wennse unten mit gebrochene Beine ankommen. Oder dies Bobfahren – is dattenn noch schön? In ein Eiskanal auf ein Brett liegen un durche Kurven sausen, Schlittenfahren is ja aunnich mehr, wattet ma wa, un in Calgary beide Olümpiade ham wer gesehen, datt ein einzichstes Sandkorn genücht un du komms ausse Kurve, ja, wo sind wer denn? Fegen nützt nix, weilse ja drumrum alle Bäume abgeholzt ham, dattatt Fernsehen besser hinkommt, un wo keine Bäume mehr sind, fliechte Erde durche Luft, kommt als Sand im Eiskanal un datt is dann Wintersport – gehnse weck, hörnse auf.

Oder Schlittschuhlaufen – an sich ganz nett, so hingleiten überm Eise, nä, un watt machense dadraus? Durche Luft springen vorwärts, rückwärts, mit ein dreifachen Rittberger un den doppelten Tulhupp un dann Piruetten un immer lächeln dabei un datt eine

Bein oben überm Kopp ziehn, datt kann donnich gesund sein! Un soll Sport nich gesund sein?

Ja aber gezz frarich Sie doch wirklich, watt is denn da gesund dran, auf Schier durchem Wald renn, un dann bisse ganz verschwitzt un muß dich auffem Bauch legen un mit ein Gewehr auf ne Pappscheibe schießen, un datt wär dann Biathlon, wer sich sowatt immer alle ausdenkt. Oder Schispringen! Durche Luft als wenn ich ein Vöchlein wär, der ihre Bandscheiben möchtich nich sehn, aber uns erhöhense de Krankenkassenbeiträge, ja, datt zahlen wir doch alle mit!

Eisschnellaufen, gut, datt will ich noch einsehen, obwohlse da auch übertrieben. Watt müssen die so hautenge dünne Anzügelkes anham, könn die nich ne gute Wollhose tragen unnen anständigen Pullover? Nein, angeblich kostet et Sekunden, wennet nich windschlüpfrich is, ja, un so gehtet anne Nieren. Die kriegen alle nochen Pips, un datt is dann Sport, nich mit mir.

Und datt Allerbekloppteste is dieser Slalom. Hamse die noch alle? Statt dattse de Schiläufer nu schön orntlich den Hang runterlaufen lassen, wenn die datt nu schomma wollen – nein, steckense noch Stöcke im Schnee, datte dauernd Kurven fahren muß, un wennze ein son Stock vergißt, isset aus un du daafs nicht mehr mitmachen, wer soll denn da noch watt von haben? Datt ist doch alles Schikane, dumm Zeuch un heiße Luft. Ich glaub, dattse Wintersport bloß erfunden ham, weilse nich wissen, wattse senden sollen, bis endlich widder Fußball kommt.

Tanzen

Wissense, wo ich mich auch immer sowatt von beömmeln drübber könnt? Lateinamerikanische Dingens, dies Formationstanzen da – du liebe Güte! Da krisse den Mund nich mehr zu, wie sich en Mensch noch alles verrenken kann un watt noch alle Tanzen sein soll.

Ich, wenn *ich* tanz, nä, mit Willi meinzwegen, watt aber bloß alle hundert Jahre ma vorkommt, ja, da zieh ich mirn nett Kleid an, un dann lechter sein Aam um meine Tallje, wobei et immer noch ne fiese Bemerkung gibt à la »Du wars aber auch schon ma dünner, Else« oder irgenzsowatt, wo ich schon ga nich mehr drauf hör, un dann schieben wer los, schön ruhich un immer rechts rum un sowieso bloß eins zwei drei eins zwei drei, Walzer, nä, datt kanner, un watt andres ham wer aunnich versucht, aber uns reichtet, watt solln wir Rockenroll tanzen mit über de Schulter schmeißen un alles, oder so modern gezz, wose nur noch vornander rumhüppen un sich nich ma mehr anfassen unnen bißken drücken un knubbeln, datt is für mich is datt kein Tanzen mehr, aber nu gut.

Un nu komm die Profitänzer daher, auch son Beruf, aber meist sinntatt ja wohl Tanzlehrer, die sowieso nix anderes tun wie durche Weltgeschichte tanzen un nu aunnoch vor Publikum un mit Bewertungstäfelkes wie Eislaufen un im Fernsehen, und wie die aussehen!

Wie die aussehen!

Sintatt noch Kleider, wattie Frauen da anhaben? Immer alles geschlitzt bis zum Gehtnichmehr, dann so Stoff datte denks, sintie eintlich nackend oder watt? Also bei manche Kleider frachich mich, wie datt überhaupt hält, un Willi sitzt auch immer davor un kuckt un waatet, dattet alle runterrutscht, Aber Glitzer. Jeder Fummel mit Glitzer dran, ohne Glitzer geht nix mehr, nuja, wem et gefällt, sarich immer. Er sieht meist aus wien Pinguin, wie soll son Tänzer schon aussehen, aber sie – also wattie da hermachen, doll. Untie Schuhe! Wennse schon Turniere tanzen müssen, dann frachich mich immer, warum ziehnse dann nich bequeme Schlappen bei an? Sonz läuftatt ganze deutsche Volk doch von morgens bis ahms in Turnschuhe rum, un ausgerechnet wennse stundenlang tanzen müssen, kommse daher mit wer weiß watt für hohe Hacken, un wennse alt sind, hamset anne Füße untie AOK muß Einlagen bezahlen, so isset doch.

Un dann der ausrasierte Nacken immer. Hamse gesehn, alle Frauen ham so hochtupierte Haare un son ausrasierten Nacken, furch-ba. Furch-ba. Watt soll datt? Datter Preisrichter sieht, wie schön se datt Hälsken biegen kann? Un dann legense los, Rumba Tschatscha Tango Mambo un watt man da nich so alle vortanzen muß bei diese lateinamerikanische Dingens, diese Formation da – rechts rum, links rum, Galopp quer durchem Saal, immer lächeln, immer inne Hüfte schön tief abgeknickt un eine einzige Afferei. *Eine einzige Afferei!*

Datt is doch kein Tanzen, datt is doch Getue is dattoch, so tanzt man nich – ich wa schließlich aumma inne Tanzstunde. Un ich seh datt auch, wenn einer gut tanzt – der Kalleinz von unten anne Ecke wo datt gekachelte Fischgeschäft früher wa, ja, der tanzt gut, datt sieht man, so dick wie er is, aber auffet Pakett, wenn wer unsern bunten Ahmt vonne Siedlung ham – wie ein junger Gott, sarich immer. Aber die da vonne Profitänze – nä, gehnse weck. Nich ma zwei Minuten drehnse sich nett im Kreis zur Musik, nein, noch ne Einlage untie Dame wegschmeißen un widder fangen un Piruetten drehen un Rolle rückwärts un watt weiß ich nich noch alle, wie Schaulaufen vonne Eistänzer, un sieht alle affich aus.

Un einer wirtann Weltmeister. Dabei möchtich datt Lokal ma sehen, wo die sich mit ihre Verrenkungen so aufführen dürften, die gibtet ganich, sonne Tanzflache, die würden ja jeden anrempeln, also, et nützt noch nichma watt, wennse so tanzen könn, geht nirgends, geht ma widder bloß im Fernsehen, aber da geht ja scheinz alles.

Boris Becker

Nä, Sie, nänä. Beneiden tu ich den nich. Gut, datt
sieht schön aus, dauernd reisen un viel Geld ver-
dien bloß mit Ballspielen, aber sagense selbs, datt is
doch kein Leben, oder? Schon allein datt Bahei,
wenner sich ma verliebt! Ja du liebe Güte! Der
Junge ist donnoch jung, der muß doch ma Erfahrun-
gen machen, aber kaum dattern Mädchen ankuckt,
stehtet schon inne Bunte un alle waan dabei. Wie
wir so alt waan, ja, watt schön, wir standen inne
Venezia-Eisdiele un ham uns gegenseitich anne
Hörnchen geleckt un dann nach Gelsenkirchen
auffe Kirmes, da sind wer inne Raupe gefahren, un
wenn datt Dach drübberging, wurde aber sowatt
von geküßt –
kann der alle nich machen. Schon weiler Millionär
is, nä, als Millionär daafze nich auffe billige Kirmes,
musse inne Nobeldiscos mit deine Holde un
Schampagner trinken statt Zuckerwatte essen, un
dann stehte Presse draußen un is am Knipsen un du
kannz nix heimlich machen, datt is doch kein
Leben! Bäh! Gehnse weck! Un dannoch dem seine
Mutter, gezz isse am Jammern, dattse ganix mehr
hat von ihren klein Boris, immer wärer unterwechs
un dann mitte Mädchen inne Discos, ja, liebe Frau,
sowatt überlecht man sich vorher! Dann hättensen
nich Tennis lernen lassen dürfen, dann hättensen
watt weiß ich, nach Jugend forscht schikken sollen,
alles über de Küchenschabe, da säßer gezz brav zu

Hause in Leimen inne Küche über sein Mikroskop un würde Küchenschaben bekucken, aber davon wird man nich so reich, höchstens ma eines Tages datter den Nobelpreis kricht un dann musser sich von Frank Elstner dafür interviewen lassen un langweilen wer uns alle zu Tode bei, dann doch besser so – wo warich?

Ja. Boris. Gewinnter, hamsen alle lieb, verlierter, wollnse ihr Geld zurück, machen kanner nix, ohne dattse alle zukucken, un richtich Deutsch kanner auch schon nich mehr, wo is da der Sinn des Lebens, ich bitte Sie? Million hin, Million her, ich möcht mitten nich tauschen. Isser eintlich mit Bennedikte nu noch zusamm oder nich? Wissen würd man et ja doch gerne, nä.

Wimbeldon

Also, et gibt ja wohl kein, den Tennis nich allmählich zum Hals raushängt, nä. Nix wie Tennis inne
Programme, seit unser Boris un unser Steffi da
zugange sind, müssen wer alles kucken, so wie
früher wo noch Schalke wa, Tennis von morgens bis
ahms, datt kann doch kein Mensch mehr sehn! Un
gewinn sowieso immer bloß deselben, keine Span-
nung nix, hin un her, ping, pong, et geht nur noch
darum, ob de Steffi de schöne Gabriela in dreißich
Minuten von Platz fecht odern bißken länger
braucht, un wieviel Hechtrollen unser Boris widder
macht. Manchma sehn ich mich derekt nach den
Björn Borch zurück un den frechen Mäckenro, da
wa noch watt los, obwohl, verstanden habbich
Tennis nie, aber dazu später. Watt ich eintlich sagen
wollt, is –
den größten Zirkus machense immer um dies Wimbeldon. Kann mir ma einer sagen, watta nu so be-
sonders dran sein soll? Et gibt doch überall auffe
Welt Tennisplätze, hier bei uns hamse grade widder
de Schrebergärtner vertrieben, un wo früher Johan-
nesbeeren un Flieder wa, ham wer gezz für de
betuchte Jugend en Tennisplatz. Aber Wimbeldon –
wenn ich datt schon hör krich ich de Krätze, fängt
bei den Name an. Man schreibt Wimbledon un
sacht Wimbelden. Warum? Dann sollnse doch
gleich Wimbelden schreiben, wennse sowieso
Wimbelden sagen! Entweder oder, man muß sich

doch entscheiden könn, verdorri. Un dann der Rasen – dattsen nich mitte Nagelschere schneiden is ja wohl alles, un Abonnemangs, wennze da eins willz – also, ich will keins, aber ich mein nur –, da musse dich 1980 anstellen, wennze im Jah 2000 in der ihren fein Tennisclub aufgenomm wern willz. Da sitzt ja auch de könichliche Familie rum un all die Herzöge un wattse da in England noch so reichlich ham, der Herzoch von Dingens, Kent, der überreicht ja am Ende auch immer de silberne Schüssel, un der Schiedsrichter muß in Uniform ohm auf sein Thron sitzen un spricht sowatt von durche Nase, dattet keiner vesteht, un wehe im Publikum sacht ma einer watt, willer gleich Ruhe ham. Also da sindse wirklich päpstlicher wie der Papst, sach ich immer, in dies Wimbeldon, un wofür? –
Tennis. Datten paa Tienäger in kurze Hosen un Röckskes für wer weiß wieviel Geld ein Bälleken hin un her tun überm Netz, wo er noch dazu dauernd dranfällt, statt dattse datt Netz wegtun, wäret schomma einfacher. Un dann hamse noch kaum angefangen, da heißtet schon 15-30-40, aber ohne dattet eins zwei drei oder so gewesen wäre. Wieso fängtatt bei 15 an? Wer zählta so komisch, wer denkt sich sowatt aus? Un auf einma steht anne Tafel 6:3, un du has nix mitgekricht, un ma spielense bis 6 un ma bis 7, also wennse mich fragen: die Regeln sind völlich durcheinander, da macht jeder watter will un stimmt hinten un vorne nich. Oder Teibräk – watt soll dattenn sein, Teibräk? Man kricht ja auch nix erklärt, gut, Fußball, watten Fallrückzieher is oder ne Schwalbe, datt weiß ich,

aber woher sollich wissen, wattne Vorhand unne Rückhand is, is datt nich alle dattselbe, Hand is Hand?

Erklärt eim ja keiner, mit Fußball sind wer in Kohlenpott aufgewachsen, aber mit Tennis ja wohl nich, datt wa eher watt für höhere Töchter aus bessere Kreise, schon wegen de weißen Klamotten, unser Mutter hätte uns doch watt gehustet, immer Kochwäsche schleudern. Un nu is datt auf einma der Volkssport Nummer eins? Gehnse weck, nie im Leben. Se tun aber so. Aber da mach ich nich mit. Drei Stunden zwei Männeken mit ein Ball hin un her un du verstehs nich ma de Regeln… uns verkaufense auch viel als Sport, wenn der Tach lang is.

Ingelein un Tennis

Mamma, sacht unser Inge gestern ahmt, weisse watt, ich will gezz auch Tennis lern.

Wieso dattenn, sarich, auf einma? Sonz hasse doch immer gesacht, dattet nix Blöderes gibt wie in kurze Hosen un mit weiße Söckskes stundenlang hinter son Bällchen herrennen, un nu auf einma?

Ja, sachtse, ich weiß aunnich, aber irgenzwatt an Sport musse ja machen als Mensch, un Schwimm is mir zu naß un Jogging is mir zu blöd, un wo ich gezz Boris Becker immer seh, da dachtich, kumma der, nä, sieht nach nix aus un is Millionär, un wenn der datt kann –

Ingelein! sarich, nu bleib aber auffen Teppich, wenn du gezz mit Tennislern anfängs, da weissich doch schon, wie datt aussieht – du gehs einma hin, vielleicht auch zweima oder sagen wer: dreima. Beim viertenma kannze nich, dann tut dir der Aam weh, dann gefällt dir der Tennislehrer nich, un so gehtatt weiter, du has donnoch kein Sport durchgehalten, dann verliersse dein Tennisschläger, dann... Nänä, Mamma, sachtse, eben nich, man muß nur gleich ma richtich anfang un von Anfang an gute Sportsachen ham, die watt taugen, nich son Billichschrott.

Ach, sarich, da wehter Wind her, dein Pappa un ich solln uns gezz krummlegen fürn weißet Faltenröckchen un watt nich alle?

Ja nu, sachtse, wattie Eltern von Steffi Graf un

Claudia Kohde könn, datt könnt ihr ja wohl für euer einzichstes Kind auch einma, ihr wißtoch sowieso nie, watter mir zu Weihnachten oder an Geburtstach schenken sollt, gezz weisset. Ich will ne Boris-Becker-Turniertasche ham.

Watt? sarich, du fängs ers an un wills schon gleich ne Turniertasche ham, soweit kommtet grade noch.

Ja, sachtse, wo soll ich denn de Sachen reinpacken, meinze ich geh mitteine Einkaufstasche?

Noch hasse nich man Schläger, sarich, da gehsse gezz nache Wollworth hin und kaufs dirn billigen Schläger und dann kuckse, obbe datt überhaupt durchhäls –

Inne Zeitung steht aber, sachtse, datte nur mitte Boris-Becker-Power-Turnschuhe richtich spielen kannz, sonz nich. Ich sach, watt is dattenn fürne komische Zeitung, die sowatt schreibt?

Ja, sachtse, wie der Geburtstach hatte, da hattoch dem seine Firma ne ganze Seite sonne Anzeige gemacht, mit Glückwünsche un datter schön weiter ihre Schuhe anziehen soll un ihre Turniertasche nehm, datter gut spielt, un inne Turniertasche von diese Firma tuter dann sein Boris-Becker-Dominator-Sprunggelenkschuh rein, weil datten echten Siegerschuh is, un ohne den…

Schluß gezz, Ingelein, habbich gesacht, nu wirtet mir zu dummhapp. Nur weil der Kohl in Oggersheim wohnt, ziehn wir ja aunnich nach Oggersheim, un nur weil der Möllemann Bildungsminister is, musser noch lange nich gebildet sein, un wenn Boris Becker Dominatorschuhe hat, brauchs du noch lange keine.

Sie raus un am Heulen, in dies Alter sindse ja auch so empfindlich, nä. Un wie ich später nach se kuck, hatse mit Tesafilm datt Boris-Becker-Plakat mit ein echtes gedrucktes Autogramm überm Bett geklebt, un da frachze dich als Mutter doch manchma: watt hasse falsch gemacht?

Ob sich die Mutter von den Boris Becker datt auch manchma fracht?

Der Ammerikaner

De Olümpiade von Los Ängeles is ja nu schonnen paar Jahre her, aber wissense, wie der Ammerikaner sich da dammals aufgeführt hat, datt vergeß ich den nie, un datt kann man ruhich auch nomma sagen. Könnse sich erinnern? Wiese sich wichtich getan ham hinten un vorne? Ich mein, gut, nä, nix gegen den Ammerikaner, der is unser Paatner in dies Atlantische Dingens da, Bündnis, nä, für datt der Russe uns nich dauernd überrollt, wiese sagen, paßter hier auf und stellt seine Raketen im deutschen Wald – datt mitte Abrüstung glaub ich auch ers, wenn ich einma über de Autobahn fahr, ohne datta ne ammerikanische Panzerkolonne is. Aber immerhin, nachen Kriech, wo wir nich wußten, watt Schokkelade is, der Ammerikaner hatse geschickt un ham wer ja auch Cocacola untie Bluejeansbuxen von, gut.

Aber wiese dammals '84 Olümpia gemacht ham, da hamse inne Zeitung geschrieben: *Wir sinntie Größten. Wir sintie Größten, und datt nich nur in Sport.* Hamse die noch alle? Wissense seit Vietnam immer nonnich, dattse de Größten vielleicht donnich sind, watt muß denn noch passieren? Un watt soll datt heißen, wir sinntie Größten, un datt nich nur in Sport, wo denn sonz noch? Inne Küche? Mit Frikadellen zwischen weiche Brötchen? Inne Musik mit aboppboppaluna, abopp bäng bum tutti frutti? Inne Kultur? Ja, habt ihr vielleicht datt

34

Porzellan erfunden oder der Schinese, is datt euer Beethoven, tätätäää, oder unser? Siehste. Un ihre Fahne immer, mitte Fahne hatten set auch dauernd, datt wär datt »Tuch der Ehre«, ach, ja? Un watt wär dann unsre Fahne, en Staubtuch, oder watt? Der reißt schomma ganz schön den Mund auf, der Ammerikaner. (Übrigens, is Ihn schomma aufgefallen, datt alle Ammerikaner genau de gleichen Zähne ham? Schneeweiß, schnurgerade, datt muß da sowatt wie ein Nato-Einheitsgebiß geben.) Wo warich?

Ja, »Kampf der Systeme«, datt wa aunnoch sowatt, wose dauernd mit zugange waan, Olümpia, datt wär der Kampf der Systeme, ja sonz noch watt, ich denk datt sind Turnfeste un Versöhnung un Frieden un Jugend der Welt, un nu auf einma widder Systeme? Ich hör wohl nich recht. Dabei wa datt andere System ganich in Ammerika '84, wissense noch? Der Russe is ja nich ma gekomm, wa beleidicht wegen irgenzwatt, also wo da nu noch en System wa, datt muß mir auch ersma einer erklären. Un dann hießet noch, ihre Athleten – also Amerika seine –, die wärn ja sowatt von super, aber alle andern, datt wärn Zwerge – *Zwerge!* unser Hingsen! unser Groß, der alleine schon 2,01 Meter is, *Zwerge!* – un Fehlbesetzungen, un müßte man die wegblasen.

Ja, wo isser denn, der olümpische Geist? Datt mussen aam klein Spätzken sein un inne Ecke sitzen un fiepen.

Ronald Dingens, Regen, der hat dammals aunnoch gesacht, also, sowatt von schön diese Olümpiade! Aber auch gleich sowatt von schön! un eintlich müßte datt ganze Land gezz ne Goldmedallje kriegen, aber datt hatter bloß gesacht, damitsen widder wählen, un hat ja auch geklappt. Wär datt nich ma ne Idee für unser SPD, Olümpiade in – watt weiß ich – Bad Godesberch, wose ja auch ihr Programm ma gemacht ham, un dann Goldmedallje für Deutschland, dattse widder anne Macht komm? Wenn sowatt in Ammerika funktioniert, warum nich auch hier, wir machen denen doch sonz auch alles nach.

Sport! Ich will Sport! Ich will nich, verdorri nomma, ein Land gegen datt andere un Tuch der Ehre un Systeme, ich will den Langsameren gegen den Schnelleren, den Weiteren gegen den Kürzeren, verstehnse, watt ich mein? Ich will nich Japan gegen Schina oder Ammerika gegen den Rest der Welt, intressiert mich nich. Un man kann sich aumma freuen, wennen Ausländer gewinnt. Datt is anders wie beim Kriech. Obwohl, nä, ich bin auch heilfroh, datt wir – nur ma so als Beispiel gezz, nä – datt wir den letzten Kriech nich gewonn ham. Da warer widder gut, der Ammerikaner. Aber datt is kein Fahrschein fürde Ewichkeit, ham wer uns verstanden?

Der Yeti

Watt halten Sie denn eintlich von den Reinhold Messner unten Yeti, wo er gezz dauernd mit zugange is?
Wennse mich fragen, also, fragense mich lieber nich. Ich bitte Sie! Kommter da ohm von ein von seine Achttausender runter un sacht, er hätten Yeti gesehn, wo wer doch alle wissen, dattse den erfunden ham, damittie Zeitung voll wird, wenn ma widder inner Weltgeschichte nix los is, wie dies Ungeheuer von Loch Dingens da, in Schottland oder so da oben, datt muß ja auch alle Jubeljahre widder einma in Sommer aus den See rauskucken un schnauben, damit auffe Seite Buntes aus alle Welt nich immer bloß datt englische Könichshaus un Carreline von Monacco stehen, un deshalb haltense sich Loch Dingens immer fürm Sommer unten Yeti mehr so fürm Winter, is ja auchen Schneemensch, nä, ewiges Eis un alles. Un da soll der drin leben? Ich bitte Sie.
Halb Mensch, halb Tier. Sonz noch watt! Wie soll der da denn leben, wennse schon son Gesumse drum machen, datter Messner überhaupt raufkommt, un der lebt da gleich? Der friert sich doch kaputt bei diese Temperaturen in son ewiges Eis, oder hatter Zottelfell statt Haut?
Halb Mensch, halb Tier... ich mein, man weißet nich, et gibt ja nix, wattet nich gibt. Jedenfalls, en Annorack mit Pelzfutter von C un A wirtet in

Katmandu ja wohl nich geben, also hatter bestimmt son Zottelfell...

Nänä, ich glaubet trotzdem nich. Kuckense, der Reinhold, der wa ja widder tagelang in diese Höhenluft da oben, un datt kann donnich gesund sein, wissen wer doch! Wer datt dauernd ein am atmen is, der kricht doch inne dünne Lüft diese Dingens – diese – na, Hallo-Halluzi – diesen Vatter Morgana, nä, wie inne Wüste, wosse auch auf einma en Bier siehs, bloß weilet so heiß is, is aber gar kein Bier da, bloß brennend heißen Wüstensand, wie Freddy so nett gesungen hat, nä. Un so istatt auch mitten Herr Yeti – eh ich den nich persönlich mit meine eigenen Augen bei uns in Wanne-Eickel inne Fußgängerzone gesehn hab, glaub ich da doch kein Wort von.

Wieso muß der Reinhold überhaupt dauernd auf so hohe Berge klettern? Ich mein, da fängtet doch schon an, nä, istatt noch normal? Einma rauf, datt versteh ich noch. Et gibt ja immer Verrückte, die in ein Waschkorb überm Weltmeer segeln oder mitte Teertonne de Niagarafälle runter oder watt weiß ich, fuffzehn Stunden auf ein Bein hüppen, warum soll da einer nich den Ehrgeiz ham, mit dicke Schuhe auffem höchsten Berch der Welt, kann ja schön sein da oben. Obwohl, mich krichten da keine zehn Ferde rauf, aber nu habbich et ja auch schwer mitte Bronchien, nä, un nu is ja unser Reinhold aunnoch jünger, warum soller nich, kuckense sich Luis Trenker an, der is als Oppa noch durche Eigernordwand, wo warich?

Ja, der Schneemensch. Da musser auf alle vierzehn Achttausender, der Messner, weil einer reicht scheinz nich, un dann wunderter sich, wenn datt allmählich kein mehr intressiert, un watt machter, der Schlauberger? Erfindet schnell den Taazan des Ostens, Yeti, nä. Schneemensch. Der wär plötzlich da gestanden un hätte gegrunzt un hätte dreißich Zentimeter lange Füße un alles...

Willi sacht noch, vielleicht istatt der Führer, der ganich in Agentinien lebt, wie die ollen Nazis immer glauben, der lebt innen Himalaya, aber ich sach, Willi, watten Quatsch, der wär doch gezz auch schon hoch inne Neunzich un dann in sonne Kälte, watt soll der da, un dreißich Zentimeter lange Füße hatte der aunnich, nänä, den hat sich der Reinhold ausgedacht, datter seine Büchskes un Lichtbilder-vorträge besser verkaufen kann – da macht sich son Yeti gut, der sich von Eiszapfen zu Eiszapfen schwingt wie Taazan von Liane zu Liane, na, soller. Wie wär dattenn, wenn die Grünen sich den Yeti fürm Wahlkampf engagieren würden? Stellense sich ma vor, watt fürne Reklame, son Natur-mensch, dreihundert Jahre alt, dreißich Zentimeter lange Füße un innet ewige Eis ohne Frieren – wenn die mit so ein nich gewinnen, dann weiß ich et wirklich nich.

Der Kürten

Ja, hin un her, nä, der Kürten!
Ich mein, ich mach en ja gerne, doch, ja, sümmpathisch isser, un auch so geflecht, ich sach schon immer zu Willi, nu kuck dir den man an, un dann kuck im Spiegel, du ollen Schlönz, aber watt willze machen, der eine so, der andre so, et hat eben nich jeder. Der Kürten hattet, deshalb isser ja auch bein Fernsehen un Willi nich.
Aber watter will, weisser aunnich, hörnse ma. Ers vorn paa Jahre, wie er grade fuffzich wa, wurde er Scheff von diesen Gesamtsport da in ZettDeEff, nä, Leiter, ja, Männeken, datt is donne schöne Karriere für ein, der eintlich ma Bäcker werden wollte! Der wollte nemmich eintlich ma Bäcker wern, datt wissen Sie, nä, oder? Ja, un hätte auch gepaßt, der hat ja sowatt Appetitliches, hätte ich die Brötchen gerne bei gekauft, datt wär nich sonne Backstube gewesen wose Mäuse im Teich backen. Datt mitten Bäcker weiß ich von wo er fuffzich wurde, da stand datt inne Zeitung, un dammals dachtich noch so, Kürten, dachtich, sei froh, dattu nich Bäcker bis, sondern Sport bein Fernsehen, weil, wennze gezz Bäcker wärs, würdense dein Geburtstach nich so groß inne Zeitung feiern, »Bäcker Kürten wirt fuffzich«, datt wär der Bildzeitung keine Zeile wert, nä.
Ja, außer, der Bäcker wär Heino, der wa ja wirklich ma Bäcker un wäret besser auch gebliem, wo warich?

Ja, der Kürten. Musiker wollter aumma wern, aber datt kann ich mir nu überhaupt nich vorstellen, datter musikalisch is, weil, wenn, nä – dann hätten wer datt längst gemerkt, weil da in dies Sportstudio, da muß doch jeder alles machen watter kann, de Doris muß Rälli fahren, un wenn der Kürten musikalisch wär, hätter da längst schomma gesung' oder Ziehamonika gespielt, die lasse ja nix aus.

Naja, mit Bäcker un mit Musik wa dann nix geworden, un wo gehnse immer alle hin, wenn sonz nix klappt? Im Fernsehn, aber datt machter ja nett. Ja, un dann warer Scheff von diesen Sport, un watt is? Paßt ihm auch schon nich mehr. Zuviel Verwaltung, sachter, ja, datt weiß ich doch vorher, ich kuck mir den Sessel doch an, wo ich drauf sitz! Un gezz willer schon nich mehr Scheff sein un wirtatt der Kaal Senne mittiese schön blauen Augen wosse Faabfernsehen für brauchs. Un er will widder ein ganz eimfachen Reporter sein...

Ich mein, ich seh et schon. Der will doch höher rauf will der doch – manchma denk ich so, warum ham wer nich son Bundeskanzler, der säh wenichstens nach watt aus, un fromm isser ja auch, kämer mitte CDU gut kla – obwohl, wer is schon inne CDU heutzutage noch fromm, datt is auch alle schon lange her. Nänä, er will beim Fernsehen bleiben, un ganz eimfachen Reporter sein. Nuja, datt könn wer abwaaten. Sicher tauchter in irgenzsonne Schau dann widder auf, wissense noch? Hatter ja schomma, wie hieß datt noch, »Ganz schön dingens« oder so, wie einer in ein Kochpott springen mußte aus sechzig Meter Höhe, un dann kam Kürten ausse Ecke un sachte, boh, watt mutich, datt könntich nich. Also, datt wa nich so doll, da müßtense dann schon ersma ne schöne neue Schau erfinden für den, wo er ne gute Figur drin macht.

Nett isser ja, wie gesacht – un brauchen könnten wer so ein, weil kuckense, der Kulenkampff, nä, der ist weck un daaf uns immer nur noch mitternachts aus ein Büchsken inne Strickjacke watt vorlesen, watt wer leicht auch selber lesen könnten; der Elstner is mitte Nobelpreisträger zugange, un kenn ich kein einzigen Mensch, der datt kuckt; der Gottschalk, datt is nix für unser Omma, obwohl seiter datt Bambi zurückgeschickt hat, machsen widder; der Thoelke is zu polterich, der Carrell hatten Sprachfehler, der Schautzer muß noch viel lern, un der Fuchsberger duzt jeden, datt machich nich. Nänä, der Kürten, datt wär schon watt, aber watt? Soller auch ne Talkschau machen? Mein Gott, gezz hamwer auf jedes Programm schon dauernd Talkschaus, man kannet ja allmählich nich mehr sehen. Nochen Quiz? Hängt ein auch zum Hals raus. Watt mit Sport? Ja, soller doch Sportstudio machen, datt machter nett, datt kanner, hatter noch Zeit genuch fürde Gattin unte Kinder, weil datt is ja bloß einma Samstachsahms, Rest der Woche brauchter scheinz nix tun – oder soller gezz in Alter sein Jugendtraum erfüllen un Bäcker wern, ja warum denn nich? Er will doch widder kleinere Brötchen backen – nu, da kanner.

Das neue Leben

Datt wissen Sie ja, datt wir die Metzgerei verkauft ham, nä? Ja sicher. Nie mehr Blut un kalte Hände, wie ich et dammals ja auch schon gesacht hab, un, hörnse ma, unter uns: *gut verkauft.*

Datt wa grade noch rechtzeitich, eh datt losging mitties Kalbfleisch, watt wir ja schon immer wußten, nä, aber watt willze machen. Die Kundschaft will et weiß, un dann krichtset weiß, aber wie datt so weiß wird, da fracht ja keiner nach. Wir ham ja schon jahrelang kein Fleisch mehr gegessen, un dann frachze dich auch irgenzwann, wieso bisse noch Metzgersgattin, nä, jeden Tag inne Fleischwurst packen un ein ganzes Leben fürde Beinscheibe, datt kannet donnich sein, un unser Ingelein will ja auch keine Metzgerei erben, un da ham wert dann verkauft, an son jungen Mann, der alles ganz anders machen wollte, bio un so, un datt glückliche Schwein. –

Un watt wa? Als erstes hattern Prozeß am Hals gekricht, weiler in seine Wurst kein Gift drin hatte. Watt rein daaf, muß auch rein, da kenntatt Gericht kein Pardong, un er wollte alles gesund un so, da kommt ihm aber der Gesetzgeber auffem Kopp, nä, nachher ham wer inne deutsche Schemie nich mehr genuch Aabeitsplätze! Un gezz hatter rotes Kalbfleisch im Angebot, kauft aber trotzdem keiner, un auffe Leberwurst bleibter auch sitzen, aber mir kannet egal sein. Wer einma son Stall gesehen hat mit 6000 Tiere im Dunkeln drin, der kann datt soweso nich mehr essen, ich sach immer, wennet schon nich durchem Verstand geht, dann musset durchem Herz gehen un dattie Welt ehmt so aussieht wiese aussieht, wegen watt wir mitte lebende Kreatur machen, nur damit wer jeden Tach Fleisch essen könn. Unser Oppa hat auch bloß sonntachs Fleisch gehabt un mußte schwerer abeiten wie wir heute, aber datt erklär ma einen.

Nänä, Metzersgattin, datt is vorbei, un Willi hat sich dann den schön Schrebergaaten zugelecht un zieht gezz Bohnen. Un den Wohnwagen ham wer, da gurken wer mit durche Weltgeschichte, is auch alles gut un schön, aber einma, Willi, habbich gesacht, einma möchtich doch ne große Reise machen un wirklich nach Olümpia hinfahren, aber für uns beide isset zu teuer.

Un wo er soweso immer watt gegen de Ausländer hat, zuviele sintet, un man verstehtse nich, un immer riechen se nach Knobloch, un hier watt un da watt, da habbich gesacht: komm, bleib du schön hier un tu dich umme Bohnen kümmern un kuck schön Fernsehen, un mich laß da ma nach Korea hinfahren, ich komm in fremde Länder auch fixer zurecht wie du un bin nich so abhängich davon, dattet an jede Ecke ne Bude mit kaltes Bier gibt, un mich störter Ausländer an sich aunnich so, un da in der ihr Land, da bin ich ja dann Ausländer, nä, un datt könntes du sowieso nich vertragen, un so kam datt, nä.

Gezz fahr ich alleine nach Korea un kuck mir datt ma an, un dann sehn wer weiter. Ich halt Se auffen laufenden.

II. Olümpia '88

Die Eröffnung

Hoch, watt binnich froh, dattich gezz endlich widder hier in mein schönes Hotel bin mitte Lotosblüten anne Wand fürm Gemüt! Weil, sonne Eröffnungsfeier...
Sie beneiden mich gezz, nä?
Tunse datt ma nich. Nich dattet nich schön wa, aber 70 000 Leute un tausend Mann die mitte Füße inne Luft Bretter zerkloppen un zweitausend Tauben die oben nich rauskomm un unterde Bänke flüchten wo dann schomma einer drauftritt un dreieinhalb Stunden un dreißich Grad, ich mein, da musse auch ersma durch als Mensch, un datt geht aunnich so mit links.
Aber ne Faabenpracht hatter Koreganer! Un man merkt, datter an sein Aabeitsplatz turnt, immer wennze denks, datt wa gezz aber alles, ziehter noch dreitausend neue Tänzer aus sein Kimonoärmel, un nach den Fürstentanz kommter Bauerntanz unter Kindertanz unter Geistertanz unnoch watt auf griechisch – doll. Drachentrommel, Drachenprozession, Drachenkampf, un watt ham wir? Ein einzigen Drachenfels un da sind immer de Japaner drauf. Bei so Feste erinnert sichen Volk auch immer gerne anne Tradition, nä, kuckense, ich hab auch son neu Hütchen gezz mir gekauft, dattich nich rumlauf wie de deutschen Turisten in Neiltest, kurze Hosen, Socken un Sandalen, ich seh doch schon wiene Koreganerin aus, nä?

De Tradition, wolltich sagen – sonz Wolkenkratzer, Mikrochips un sprechende Taschenuhren un auf einma Bauerntänze nach ein schweren Aabeitstach – den Bauer möchtich sehen in Korea, der noch so nett inne Luft hüppt, wenner zwölf Stunden inne Reisfelder gestanden is, aber hier is ja alles immer mehr so sümbolisch, wennze Land der Morgenstille heißt, kommze auch auf so Gedanken.

Apropos Morgenstille, nä – Willi! Liech ja nich bis mittachs inne Betten, bloß weil ich nich da bin, un wennet in Deutschland wirklich so kalt is wiese sagen, dann trach schomma de Blumkästen im Keller, hörsse? Wo warich?

Ja, un dann die Völker alle! Man staunt ja immer wieder, wattet alle für Hautfaaben gibt, wer is da eintlich drauf gekomm, datt ausgerechnet unsre die schönste sein soll?

Untie Kostüme! De Schwatten in so wallend, der Russe in Rot, de Mongolen fast nackend, die Bermudas in Bermudas, der Araber mittiese Kordel ummen Kopp, der Pakistaner in Kleidchen untie Deutschen mit Jackett un Hut, als wärnse alle beine Lebensversicherung angestellt, Gott, wem et gefällt, nä. De Holländer mit so dusselige Schirme, die de kriss, wennzen Funt Kaffee dazu nimms, de Ammerikaner unorntlich un nich inne Reihe untie Österreicher mit so weinrote Fräcke sahen alle aus wie Oberkellner, Kollege kommt gleich, is nich mein Revier.

So, un gezz is genuch Firlefanz, gezz will ich Turnen sehen, also ich sach immer Turnen, aber ich mein Sport, nä. Wofür bin ich sonz so weit gefahren, für Luftballongs kucken nicht! *(17.9.)*

Et geht los!

So, et is nonnich datt, wo ich drauf waate, aber wenichstens gehtet gezz ma los mit Olümpia, in Boxen machense schomma dies Tamtam-Gewicht un haun sich in zwei Ringe die Nase ein, also Boxen is für mich ja immer noch soviel Sport wie Tennis Amateure sind, aber wahscheinz habbich da als Frau keine Ahnung von, un datt hat watt, Gott, wem et gefällt, sarich immer – gut datt Kuba nich dabei is, die ham ja diese braunen Bomber, die alles kurz und klein hauen, da wär watt los. Eintlich komisch, datt Kuba nich dabei is, sintie denn noch kommenistischer inzwischen wie Schina un Ruß-land? Die sintoch auch da? Wer ja nich kommen *daaf* un gerne will, is Südafrika, un ich denk schon so – Mireille Mathieu wa hier zu Besuch beide französische Mannschaft un hatse aufgemöbelt. Nana Muskuri – datt is die, die seit 25 Jahre vonne AOK keine neue Brille kricht – wa beide Griechen, vielleicht singt Heino grade in Südafrika vorde traurigen Buren, nu, soller.
Basketball kann ich immer ganich hinkucken ohne zu denken, meine Zeit, watt hat der ihre Mutter ge-macht, wie die Jungens immer größer wurden? Stel-lense sich ma vor, da hamse son nett klein Kerl-chen, un auf einma istatt 2,20 Meter un sacht Mamma, ich stoß im Bett unten immer mitte Füße an un de Schuhe passen mir aunnimmehr, un wann krichich denn endlich ma lang genuche Hosen? Un

watt kann so einer machen als Beruf, Schornstein-
feger geht nich, Friseur müßter sich zuviel bücken,
aber gut dattet Basketball gibt, mit lange Aame
oben in son Korb datt Bälleken tun un dafür vielleicht ne Goldmedallje, datt is doch watt, da hamset schön, aber dattie Schinesen neuerdings auch so
groß sind... Ich dachte immer, die wärn klein, tun
die denn nich auch beim Meditieren die Füße hinter
de Ohren? Ja sicher – aber neuerdings hamse
scheinz auch lange, kannz dich auf nix mehr verlassen.
Apropos verlassen – Willi, kann ich mich dadrauf
verlassen, dattu inne Wohnung auch ma sauber-
machs, wenn ich gezz drei Wochen nich da bin? Die
Staubsaugertüten sind links unter de Spüle. Wo
warich?
Hach, et gibt soviel zu erzählen, weiß man ganich
wo zuerst. Dattie hier mit Stäbchen essen, dazu
sarich ganix mehr – Reis mit Stäbchen! Sonz noch
watt, kannze auch Suppe mitte Gabel essen, wirsse
genauso satt von, also bei mir istie Reise nach hier
direkt gut für de Linie.

(17.9.)

De erste Silbermedallje

Meine Zeit, dies Seuhl, da is watt los, anders wie in Wanne-Eickel! 10 Million, keiner blond, un alle immer bei Rot überde Ampel, da nützet nix, wenne wie de Rentner in Deutschland mitten Schirm überm Zebrastreifen gehs, hier heißtatt Augen zu un durch, un wennich eines Tages hier ma nich mehr bin, dann wissense, dattich unter son Lastwagen liech. Dabei fahren gezz an grade Tage soweso nur noch grade Autos un an ungrade nur noch ungrade, nützt aber nix. Un ich dachte, in Asien fahrense noch mitte Rikscha rum, ja von wegen.
Ich bin auch viel unterwechs hier, gestern warich bei Korbball, wo der Russe vonne Jugoslawen eins auffe Nuß gekricht hat, datter ganz bedröppelt ausset Stadion is – so hatter sich Glasnost aunnich vorgestellt, datt ihm nu der ganze Ostblock auffem Kopp rumtanzen kann. Einer wa dabei, der wa 2,23 Meter, den mußte der Paateilose inne Waden beißen, wenner watt von ihn wollte, sonz hörter nix bis da oben. Is ja doll, watt man mit son Ball alle machen kann – im Korb schmeißen, mitte Füße treten, mitte Faust hauen, mit ein Stock dreschen, wenner aus Eisen ist, heißtet Kugelstoßen, wennen Bindfaden dran is, isset Hammerwerfen, isser aus Plastik, isset Pingpong, aus Filz, isset Tennis – also, wenn Menschenhand nich de Kugel erfunden hätte, wärn die hier bei Olümpia ganz schlecht dran.

Erste Silbermedallje ham wer nu schon von unser
Silvia Sperber in Schießen – datt ganze Jahr denkt
kein Mensch an Schießen, aber zu Olümpia holnset
immer widder ausse Versenkung, wegen Medalljen.
Un ich frach Sie gezz ma: Schießen, nä, da brauchze
ne ruhige Hand un gute Augen für, watt hattat denn
mit Sport zu tun, ich denk, Sport is Bewegung un
gesund? Ich brauch auch ne ruhige Hand un gute
Augen, wenn ich immer unser Inge seine Röcke
kürzer machen muß, aber dafür schickt mich kein
Mensch nach Olümpia. Oder Herren liegend schießen, ja sonz noch watt. Legen sich bequem hin,
knattern durche Gegend und kriegen Gold dafür, da
hätte jede Hausfrau, die in drei Minuten en Fenster
putzt, eher Gold verdient.
Apropos Fensterputzen, Willi: brauchze nich, habbich gemacht, aber mach du ma Kochwäsche
schleudern, ich habben Zettel anne Waschmaschi-
ne geklebt, watta rein daaf, Kochwäsche nich mitte
Socken drin!
Wo warich?
Schwimmen, wollt ich noch sagen, tja, datt wa ja
herb gezz – unser klein Pelikan – nä, wie heißter –
Albatros, gezz bloß Fünfter! In Los Angeles hieß et
noch, Michael Groß seine Mutter schwimmt im
Kopp jeden Meter mit, »ob Michael gewinnt oder
nich«, sachtse immer, »ich bleib seine Mutter«.
Na, prima, dann wirdse gezz aunnoch seine Mutter
sein; unter Lamberti is schon gleich ausgeschieden,
dabei hießet, er wär ein schwimmenden Ferrari –
hättich de Italiener gleich sagen könn, datten Ferrari nich schwimmt. Ja, un mitte große Hoffnung
vonne Ammerikaner wa aunnix: is geschwommen,

wie er heißt – matt. Dabei hatter doch vorher so
schön mitte Delphine trainiert, um seine Bein-
aabeit zu verbessern. Vielleicht hatter ganich gemerkt, datte Delphine ga keine Beine ham?

(19.9.)

Nich bloß jammern...

Ich hab schon widdern neu Hütchen, wie findense datt gezz? Soll ein Hut von ein Würdenträger sein, heißtet, aber nuja, ich bin ja aunnich niemand, so gesehen – obwohl –
ehmt habbich mir ausse Reinigung en Päcksken abgeholt, nä, man will ja immer frische Blüschen ham, un da waren diese komischen klein Zeichen drauf, die der Koreganer statt Schreiben immer macht, och, sarich, zeigense ma, watt nett, heißtatt Frau Stratmann? Nä, sachter, datt heißt hibbelige deutsche Frau mit komischen Hut, die zu schnell spricht.
Jaja, der Koreganer, immer auf Zack, datt kommt von dies viele Ginsengwurzelessen da is der so fiffich von – sie wissen ja, in Rußland turnt Ilja Rogoff seit 100 Jahre inne Apotheken für de Knoblochpillen un hier istatt Ginseng, davon sindse son richtigen klein fernöstlichen Wonneproppen geworden.
Willi! Hasse Fußball gekuckt? Hoffentlich nich, weil irgenzwann musse ja wohl auch ma watt aabeiten, aber stell dir vor, die Hungerleider ham schon widder gewonnen, ers gegen den Schinese un gezz Tunesien, dabei warense doch bloß am Jammern: zu spät angereist – ja nu, datt weiß ich doch vier Jahre vorher, wann Olümpia is – merktet euch, Jungens, gezz widder zweienneunzig! Schreibtet schomma im Kalender! Dann hießet, huch, die

Grashalme wärn hier viel dicker wie zu Hause – ja, kuckt euch Maradona an, der hat auffe Müllkippe gelernt un kannet trotzdem, un ihr wollt noch, dattse de Grashalme auf eure Dicke säbeln, sonz noch watt. – Dann die Umstellung, ja nu, da leiden wer alle drunter, wenn wer da alle jammern würden, wo käm wer denn da hin, muß man sich ehmt en bißken zusammennehmen, ich muß ja auch.

Aber für dattse so wehleidich sind, hamse schön gespielt, Wuttke mit ein Knöchel in alle Faaben, Fach mit ne kaputte Schulter, Kleppinger – nuja, dem seine Hobbies sind ja Lesen und Spazierengehen, konnter schön spazierengehn heute, un Schreier hat soga mitgespielt, der is doch alle vier Wochen verletzt – Schreier, mach dir nix draus, wir ham ja auch alle vier Wochen datt berühmte Frauenleiden, Zähne zusamm un durch.

(19.9.)

Gesund kannet nich sein

Also ich find ja ehrlich gesacht immer, Sport soll auch irgenzwie nützlich sein – schnell laufen, weit springen, datt kannze zur Not noch brauchen, aber ich bitte Sie, wann mussich denn schomma auffe Hände überm Schwebebalken gehen? Un gesund kannet aunnich sein, die aam klein Döppkes, im Alter hamset alle anne Bandscheibe, un wer is dann widder dran, de AOK. Un so jung wie früher sintie auch alle nich mehr, gut, en paa sind noch so spillerige Küken mit nix auffe Rippen, aber einige, Willi, hasse gesehen? Wie du immer sachs, die ham schon tüchtich Schnee auffe Patronentaschen, die sind ja auch schon sippzehn un achzehn, un dann heißtet auch immer gleich, datt wärn nu die großen alten Damen im Turnen. Wenn ich sowatt hör – watt fies!
Wenn datt mit sippzehn schon alte Damen sind, watt wär ich denn dann?
(weinend ab)

(19.9.)

De Bundeswehr als Turnverein

Hach, watt schön! Mittem Himmel ringen um Gold un Silber! Datt möcht ich aumma, aber unserein kricht höchstens einma im Leben en Rubbellos, un wennze rubbels is nix.

Ja, nu auf einma gehtet ja scheinz mitte Medalljen los – der Pelikan oder Albatros oder wie der Vogel nu heißt is schön geschwomm mitte Staffel für Bronze, wo wer schon dachten, gezz müßten werm allmählich so Schwimmpüfferkes anne Aame ziehen, datter nich ertrinkt, dann Medalljen im Schießen – zwei Kriege verloren un dann im Schießen Gold in Olümpia, wie datt Leben manchma so spielt, un wo aabeitet unser Silvia? Beide Bundeswehr. Überhaupt sind 56 von 241 Sportler bei de Bundeswehr, vonne Männer sintatt 23 Prozent, *un unser* Silvia, die is beide Standortverwaltung in Landsberch am Lech, un die ham von ihren General oder wer da datt Sagen hat immer frei gekricht für zum Üben – ja, könnwer denn dann de Bundeswehr nich doch endlich ma abschaffen un ein schön großen Turnverein draus machen?

Gestern ahmt war ich inne Halle, wo die Männer geturnt ham un der schöne Bilozertscheff vonne Stange gefallen is – datt wa der, der ma besoffen Auto gefahren is, dann hattern Unfall mit 42 Knochenbrüche gehabt, un datt wa '85, un '87 wa er schon widder beide Weltmeisterschaft am Turnen – Willi, da wollt ich dich warnen, denk gezz nich, du könnst datt auch – Bier trinken, Auto fahren, Beine brechen un in zwei Jahre so schön turn wie der Bilozertscheff! Un du siehsset ja, er is ja auch runtergefallen. Wasse denn mitten Hund schon draußen heute? Dann ma fix.

Wo warich? Ja, einerseits Medalljen, andrerseits de alte Zimperei – Harald hat Probleme, Thränhardt hat Durchfall, Mögenburch hat watt mitte Sehne, Wentz is erkältet, ich auch, Siggi! Aber watt machen wer nich alle für Deutschland! Un wissense, wer in Ordnung is un sich doll fühlt? Unser Schmerzensmann, unser Gürgen Hinksen, dem sonz immer watt weh tut. Aber bisser drankommt, sintet nochen paa Tage. So watt nennt man Hoffnungslauf, watter grade durchmacht.

(21.9.)

Hauptsache,
se sind vonne Straße weck

Heute morgen war aber orntlich Butter beide Fische, nä? Marathon find ich ja auch immer sowatt von doll, da renn die 42 Kilometer wie nix, un ich renn einma hintern Omnibus her, hechel mich kaputt un krichen nich – die müßten nich ma kriegen, die Rosa Dingens, die könntie ganze Strekke selber laufen un wär schneller wie der Omnibus. Untie ganz Fixen sind gezz auch schon widder unterwechs, Moses un Lewis un Johnson un wiese immer alle heißen, un langsam wirtatta ne Modenschau – einer mit knielange Spielhöschen, einer mit Kaputze, einer mit Goldkettchen ummen Hals. Ich weiß noch, wir hatten früher Turnhemd un Turnhose aus Baumwollmakko, un heute sindse auffen Sportplatz angezogen wie auf ein Laufstech – aber et ändert sich ja alles dauernd, warum nich auch de Mode. Diese Schneläufer da, da wunder ich mich immer, warum die anne Aame so dicke Muskeln ham, die laufen donnich auffe Hände! Dicke Beine, datt versteh ich, aber watt sintie oben rum so stark – die könnten direkt jedesma nochen Zentner Katoffeln mit auffe hundert Meter nehm, dann hättatt alle auchen Sinn. Bei Kugelstoßen seh ich dicke Aame ein, die müssen watt auffe Rippen haben, die Kugel is ja aus Eisen, aber die ham nu widder auch dicke Beine – tja, weilse immer alle ihre Freizeit inne Krafträume zubringen, nä, aber ich sach immer, is ja auch schön, wenn die Jugend Interessen hat, Hauptsache, se sind vonne Straße weck.

Watt is denn mitten Rainer Henkel gewesen? Ers wochenlang Trara watter alle macht, träniert mit ein Geldgeber extra in ein Luxushotel in Tokio, jeden Morgen um 5 Uhr 15 im Wasser, un nu isser nich ma dabei beim Wettschwimmen, also irgenzwo is beide Deutschen trotz alles noch der Wurm drin, aber nu is ja Dabeisein alles, un dabei sind wer, datt muß genügen. Wenn *ich* übrigens Sportler werden würde auf meine alten Tage – ich würd mir nur watt aussuchen, wo mit Stoppuhr un Metermaß genau gemessen wird un nie watt, wo so olle Punktrichter sitzen un vielleichten schlechten Tach ham oder ein nich leiden könn un dann ein 25tausendstel Punkt zu wenig geben –

Apropos, Willi, fümmenzwanzich, denk dran, am Fümmenzwanzichsten hat Tante Änne Geburtstach, Kasten Katzenzungen liecht inne Schrankwand unterde Servietten, bringsse hin, nä – machen Preis vorher ab.

25tausendstel Punkt, un da scheitert Gold oder Silber dran.

Wissense, wie groß son 25tausendstel Punkt is? Sooooo klein...

(23.9.)

Sowatt is nur
in Olümpia erlaubt

Datt soll Radfahren sein? Wenn ich sowatt schon seh! Watt sintattenn für Räder? Keine Speichen, keine Bremsen – aber zu dicht auffahren! – keine Lampe vorne, kein Rücklicht hinten, kein Gepäckträger, keine Klingel, keine Seitenstrahler, kein Licht anne Pedale, abern blöden Helm auf mit Regenrinne hinten un Angeberhandschuhe un wahscheinz noch gegen de Einbahnstraße fahren! Gut, datt unsre aussen Wettbewerb raus sind, datt is ja gradezu krimenell, mit so Räder rumfahren. Jungens, wenn ihr gezz widder nachhause müßt, kommt ja nich auf die Idee, mit so Räder in Essen-Rüttenscheid inne Kunigundastraße rumzufahren, da muß bloß ein Pollezist kommen, dann seider aber sowatt von dran! Un macht ma ein Gepäckträger hinten drauf, datter wenichstens watt mit einkaufen könnt oder ma ne waame Jacke für ahms hinten drauf schnallen. Datt kann so schön sein, Fahrradfahren, aber donnich mit so Räder! Sowatt is nur in Olümpia erlaubt –
aber da geht ja scheinz alles.

(23.9.)

Hümnen un son Kokkelores

Sie wissen, wer eintlich Olümpia gegründet hat, nä? Datt wa ein Herr Couberteng, der is gezz auch schon tot, der hat gesacht, Olümpia, datt wa doch inne Antike immer so schön, laß wer dattoch widder machen, datt wa 1896, un ich weisset ausse Zeitung, der olle Couberteng wa kreuzunglücklich wa der über dies Gedöns mit Fahn' un Hümnen un Wettstreit der Nationen, der wollte Sport, nä – nix wie Sport, höher, weiter, schneller, stärker un aus, un auffet Siegertreppchen meinzwegen Heil dir im Siegerkranz oder hipp hipp hurra oder so, aber nich blühe deutsches Vaterland oder watt auch immer. Innen Hintern hätter sich beißen könn deswegen, hatter ma gesacht – oder so ähnlich gesacht –, un wenner noch ma jung wär, würd er wegen all diesen Kokkelores Olümpia nich mehr gründen.

Un et is watt dran, hörense ma. Manchma hasse wirklich nich datt Gefühl, datta Sportler umme Wette laufen oder schwimm, du has datt Gefühl, da will de Bundesrepublik de Ostzone zeigen, wattne Haake is, Korea rächt sich an Japan fürde jahrelange Piesackerei, Rußland un Amerika müssen ja nu mitte Raketen abrüsten, dann wollnse wenichstens in Olümpia den Kriech gewinn, de Schwatten zeigen et de Weißen, un immer stehte Ehre von ein ganzes Vaterland auffet Spiel.

Hamse die noch alle? Da entschuldicht sichen Koreganer, en Ringer wa datt wohl, bei sein *Volk*, datter *bloß* Bronze gekricht hat, tät ihm leid, sein Land enttäuscht zu ham. Ja. ringt der für sein Land oder fürm Sport? Datt ganze Vaterlandgetue habbich immer Probleme mit. Der Schnellste vonne Welt is der Schnellste vonne Welt un aus, egal, ob der schwatt ist, weiß oder gelb, hinten en Zopp hatt oder vorne Schlitzaugen, er is der Schnellste, un dafür wirder gefeiert, un nich dafür, datt – watt weiß ich – seine Mutter aus Ungarn kam, sein Vater vonne Fidschiinseln, er is in Agentinien geboren un wohnt gezz in Wuppertal un läuft für Schina – nur ma so als Beispiel gezz. Is doch flötegal alle, er läuft am schnellsten un Gold un Schluß.

Tja, so isset aber nich. Land gegen Land, Fahne gegen Fahne un Verein gegen Verein. Deswegen habbichet auch nich so mit diesen Ländermedalljenspiegel, ich freu mich über jeden, der ne Medallje kricht, ob datt nu en Spanier is odern Türke odern Deutschen. Wenn wer ewich so in Länder denken, wirdet nie ma friedlich. Kuckense, wir in Deutschland, watt wärn wir zum Beispiel aam dran ohne de Ausländer, hätten wer nich de Italiener, de Griechen, de Türken mit ihre Kncipen, säße wer noch hundert Jahre auf Rindsrollade bürgerlich mit Buttererbsen, laß wer doch froh sein, wenn sich datt man bißken mischt! Un hier in Olümpia mischtet sich eintlich so schön, alle sind da, un der Koreganer is sowatt von freundlich mit uns Langnasen, die wir nix kapieren vonne Sprache hier, da könnten wer uns man Beispiel dran nehm. Hier sind *wir* die Ausländer, aber die machen et mit uns nich so wie wir mit unsere zu Hause, hasse datt Gefühl von *ein großes Volk* auffe Welt – un dann auf einma widder: Treppchen, Fahne, Hümne.

Mir gibtatt jedesmal en Stich, un dann spür ich auch son leichten Windhauch, un dann weiß ich: datt is gezz der Couberteng, der dreht sich grade im Grab um.

(23.9.)

Watt gibtet schwere Schicksale...

Hoch, watt schön, hamse gesehn? Datt Kind in den Film hatte denselben Hut auf wie ich! Bei ein Hochzeitstanz!

Willi – mach dir keine Sorgen, ich mach hier keine Hochzeitstänze, ich hab den Hut bloß auf, dattich als Dame nett angezogen bin inne Fremde, un is ja doch *sehr* fremd hier, da fall ich mit son Hut nich so auf – obwohl, se kucken immer alle mächtich, nu, sollnse, wie hat unser Omma immer gesacht, komm wer übern Hund, komm wer übern Schwanz.

Glaumse, datt mir der Kopp gezz schwirrt vor lauter Sport? Dauernd gewinnt aber auch einer, von dem man vorher nix wußte, unte Favoriten ham Halsschmerzen, schlecht geschlafen, watt am Bein, nä, watt gibtet aber auch schwere Schicksale. De koreganischen Wasserballer zum Beispiel ham nur gegen uns verloren, weilse so kurze Aame ham, ja nu, wenn de Aame für zum Wasserballspielen zu kurz sind – un sowatt merk ich doch wohl vorher un nich ers bei Olümpia –, dann sattel ich ehmt um auf – watt weiß ich – viereckige Bonbons rundlutschen oder so, neuerdings geht doch bei Olümpia alles, soga Tennis, als ob wer unser Steffi nich allmählich kenn.

Dies Säbeln hat mich enttäuscht, Säbel habbich mir ganz anders vorgestellt, datt wan ga keine krum-

men Säbel un floß auch gakein Blut, aber Blut ham
wer ja nu beim Boxen auch genuch gesehn, trotzdem, so kling klang gloria, wenn de Säbel durche
Luft kreuzen, wär doch schön gewesen, aber die
ham sich ja bloß en bißken gepiekt un hatten dabei
noch Fliegendraht übern Kopp, datte nich ma siehs,
wer wer is, die foppen uns doch.
Schön Gruß nach Düsburch! Ihr seid ja ganz
Schlaue, fangt euern Marathon an mit ein Staat-
schuß hier aus Seuhl, damitter euch schomma lieb
Kind macht un de nächste Olümpiade im Kohlenpott kricht, nä? Dann könn unsre Deutschen endlich widder siegen, da gibet keine Ausreden mehr,
keine Zeitumstellung, kein fremdes Essen, da will
ich dann kein Jammern hören, jeden Tach Reibekuchen un ahms feste Goldmedalljen, ham wer uns
verstanden?

(23.9.)

Zehn Sekunden gradeausrenn

Ich kann nich ma so schnell kucken, wie die läuft, un wenn unser Christian Haas, gezz nur ma angenomm, mitte Florence en Kröskens hätte – der würdse nich ma kriegen! Der läuft zehn Komma fünnef noch watt, un sie –
Gehtatt eintlich immer un immer noch schneller? Ma muß doch Schluß sein, denk ich immer, man kann donnich hundert Meter in nix laufen, aber wo is de Grenze? Eines Tages müssense extra dafür Menschen züchten, seh ich alle schon komm, aber Florence macht ja noch wirklich alles selbs – un wie bekloppt, nä – *eine* Stunde brauchtse jeden Tach für zum Schminken, noch ne Stunde fürde Fingernägel, wobeise se nich ma schneidet – bloß bunt anmalt, un wofür datt alle? Für zehn Sekunden gradeausrenn im Fernsehen, der Vatter wa ja Elektriker, nä. Der Vatter wa Elektriker, de Omma Indianer, da isse so schön von. Der Ben Dingens kommt auch aus einfache Verhältnisse, un heute so schnell, datten keiner einholen kann – der läuft mehr wie 43 Stundenkillometer, hörnse ma, damit dürfter durch keine verkehrsberuhichte Zone, wärer sofort dran, weil da daaf man nur 30.
Un ein Professor hat ausgerechnet, für de 46 Schritte, die er macht, brauchter soviel Energie, datter ne ganze Willa mit beleuchten könnte.
Na, datt is doch endlich ma watt Praktisches; er

baut doch seine Mamma grade ne Willa, der gute
Junge, dann musser da bloß immer ummet Haus
rum renn, kann Mutter de ganze Nacht lesen, ohne
dattet Strom kostet.

(25.9.)

Wie im Zirkus

Olümpia ruftie Jugend der Welt, un wer kommt? Doktor Reiner Klimke un Ahlerich, un die sind zusamm auch schon anne hundert Jahre alt, aber Gold, nä. Goldmedallje für mit ein Frack auf ein Ferd sitzen un et zwingen, de Füße zierlich hochzuheben wie Ballett oder rückwärts gehen – nä, watt nich alle Sport is! Un genaugenomm treibter *Reiter* gakein Sport, der sitzt ja feingemacht da oben drauf un läßten lieben Gott en guten Mann sein, höchstens datter ma anne Zügel zieht, aber datt Ferd muß sich ein abbrechen, un datt tut ja sowatt aunnich freiwillich _ von Natur aus läuftatt ja wohl lieber gradeaus über de Wiese un nich schräch durchne Piaffe oder wie datt alle heißt, aber is ja auch Dressur un hat mit freiwillich nix zu tun, un dafür muß son Ferd in Fluchzeuge umme ganze Welt fliegen, bloß um zu zeigen, kuckt, hier, ich kannet. Erinnert mich immer am Zirkus, wo en Elefant auchen Leben lang üben muß, mit ein Bein aufne Konservenbüchse stehen, un wofür, frachich Sie, wofür, nä?

Klimke sachte, er hätte drei Hobbys, datt wär Reiten, dann nomma Reiten und dann – lassense mich ma ehmt überlegen – watt wa denn datt dritte? Datt is doch normalerweise immer Schwimm un Lesen – ach nä, Reiten, ja, Reiten is sein drittes Hobby, un gezz hatter mit sein Hobby de Goldmedallje, also de ganze Mannschaft – die Mädchen ja auch, ob die auch so rüde Burschen sind wie die Jungens? Aber se sagen immer, se hätten ihre Ferde lieb – de Australier ham sogar 30 000 Litter Wasser für ihre Rösser hier eingeflogen, falls die datt koreganische Wasser nich mögen –

Apropos, Willi, Wasser, putz aumma durche Küche, nich datt alles klebt, wennich nächste Woche komm, un machet gründlich, mit Seifenlauge, nich nur so Kaltwasser obenhin un hopp – wo warich? Reiten. Ja. Datt Ferd, sachter Klimke, muß schlau sein. Datt muß kapieren, wattet machen soll, sonz wirtet im Leben nix mit Tänzeln wie ne Ballerina, doofe Ferde, sachter, werden nix. Giltatt auch für Sportler? Wer zu doof is, kann aunnich schnell rennen? Dann wär ich die Allerdööfste, weil ich kann im Turnen nu rein ganix, un so doof binnich aber nich, weil ich weiß gezz genau, wie spät datt bei euch zu Hause is – (Frau Stratmann geht an die Uhr, verheddert sich hoffnungslos mit den Zahlen und Zeigern / ausblenden)

(25.9.)

Reine Schikane

Wissense, wo ich mich drübber freuen kann? Wenn einer verliert un et macht ihm nix. Wenner lacht un sacht, na, un? Bester binnich nich, aber ich bin doch gut, watt wollter, un heute war ehmt ein anderer besser – weil et geht ja auch immer nache Tagesform. Unser Edwin, nä, gut, is nich unser Edwin, aber hattoch unser Mirella aus Berlin geheiratet, der Moses, da isser schon son bißken unser Edwin auch, lacht, na un, sachter, is doch doll, wattie Brüder heute gelaufen sind, binnich im Hürdenspringen ehmt bloß Dritter, gehtie Welt nich unter! Datt is Sportsgeist, hassen netten Mann, Mirella, halten fest.

Hürdenspringen – is auch son Sport, wo ich mich nich dran gewöhnen kann – da rennt einer gradeaus so schnell et geht, un watt machense? Stellan ihm Bauzäune im Wech un lassen en hüppen, watten Quatsch alle, reine Schikane.

Apropos Schikane, die wern viel schikaniert, die Sportler, find ich. Wer hat sich dattenn ausgedacht, datt kleine Mädchen, wennse mit ein dreifachen Salto durche Luft wirbeln, fest auf beide Füße landen müssen un kein Schritt bei wackeln dürfen, sonz gibtet Punktabzuch, datt is donnich normal, oder von ein Brett im Wasser springen, auch mit wer weiß watt für Schrauben, un daaf et nich bei spritzen! Alles so Extrawürste, ummet schwer zu machen, un gezz kommt bald Sünchronschwimm, wose soga unter Wasser lächeln müssen, da is ja dann alles zu spät.

Willi, denkze dran, datt morgen de Mülltonne geleert wird? Is Montach. Bringse rechtzeitich raus, hörsse, nich datter Eimer widder überquillt, un trach de leeren Bierflaschen aumma im Keller, ich kenn dich.

Wieviel Medalljen hat datt Vaterland denn nu eintlich schon? Bei Willi an Stammtisch is immer son Dösigen, der sacht: wenn wer Deutschland noch inne Grenzen von '42 hätten, wo uns soga Österreich noch gehört hat unte Ostzone sowieso, hätten wer viel mehr, aber datt is ja nu wirklich sowatt von vorbei. Aber könnte man nichen bißken anders zählen, kuckense, Rudern gezz, Achter mit den dünnen Steuermann, die ham ja Gold gekricht, ja nu, datt sind neun Leute, wärn neun Medaillen, aunnoch vier Dressurreiten dazu, wennze datt korrekt zusammenzähls, wärn wer aber ganz vorne mit.

Aber wer weiß, wofür et gut is, wenn wer so ganz vorne nich sind, sondern einfach nur nett mit dabei, nä.

(25.9.)

Affenzirkus

Soso, gezz heißtet, Johnson seine Muskeln kannze mit normale Methoden nich kriegen, datt wär gedopt – un ich dachte, wenn man jeden Morgen brav seine Haferflocken aufißt, wird man so groß un staak un kann so schön schnell laufen!

Wie nennt man sowatt nomma? Unbedaaft oder so, nä, schönes Wort, unbedaaft. Inne Welt, wose de Kälber ihr Fleisch weiß spritzen, wode nix mehr ohne Gift, Schemie, Tricks un doppelten Boden kriss, da erwaatense ausgerechnet in diesen Spritzensport, datt alles mit normale Dinge zugeht – inne Reagenzgläser sindse Gene am Züchten dran für große Menschen, kleine Menschen, schlaue, dusselige, Aabeitsbienen un Schachspieler, mit Tiere experementierense rum, dattie zwei Köppe ham, im Weltraum fliegen un dabei Russisch sprechen, Weltrekorde, Wunder un Sensationen wollense ham, un alles für umsonz. Habbich et nich neulich noch gesacht, et gibt schnell, schneller, am schnellsten, aber noch schneller wie am schnellsten kann et nich geben, irgenzwo is Schluß, un da wa gezz scheinz Schluß. Lasse doch in Zukunft einfach bei Olümpia nur noch welche mitrennen lassen, die beweisen, dattse nich schneller wie neun neun laufen könn, un dann ehrlich umme Wette, könnse sich auch ihre Pippimacherei hinterher sparen un müssen nich auf so Betriebsunfälle waaten.

Sportlich mach datt nich sein, watter Johnson da gemacht hat, aber sagense mir ein Herr in Spitzenpositionen, der nich watt nimmt, um oben zu bleiben. Gezz fang de Spiele am Wackeln, Herrschaften: entweder is alles erlaubt oder nix, entweder Profis oder nich, Geld oder nich, Doping oder nich, aber nich dies Getue mitten bißken Geld unnen bißken Tabletten, aber nur dies un datt un datt widder nich. Affenzirkus.

(27.9.)

Gold im Schrächgehen

Judo is ja ma ein schön Sport, hörnse ma – recht mich bloß auf, datta nie ma Knöppe anne Jacke sind, datt rutscht doch alle, is denn da keiner, der sowatt ma sieht? Die könn doch da ma Knöppe drannähen. Der Koreganer hat ja außer Judo noch son Extrasport, datt is Taekwondo – früher dachtich immer, Taekwondo heißt »Tach, wie isset?«, heißtet aber nich – Tae heißt Fuß, Kwon heißt Faust, un Do heißt Wech, hach, Frau Stratmann, watt Sie immer alle wissen, woher bloß, tja, weissich ehmt – wo warich?

Taekwondo, datt is ein Kampfsport, den gibtet schon zweitausend Jahre, un musse mitte Füße inne Luft Bretter zerkloppen, Gott, wem et gefällt, sarich immer – aber Judo, datt hat watt, hätt ich gern ma, ab un zu ein gezielten Griff, um ein auffet Kreuz zu legen, der mir dösich kommt, ich wüßt auch schon wen – Sie kenn mich ja, ich mach ja immer Sport am liebsten, wennet auch nützlich is, also Hammerwerfen mit ein Hammer, mit den de kein einzigen Nagel inne Wand kriss, wa nonnie mein Bier.

Apropos Bier, Willi, hier gibtatt soga Bier, heißt Obi un macht nich so schnell en Schwips wie datt, wattu immer als Doping trinks, ich bring man Kasten mit, wennse mich lassen, ach, hätter Johnson doch lieber Obi Bier getrunken wie Anna Bolika gegessen, zu spät, zu spät.

Greg Louganis gefällt mir gut, wie der ers mitten Kopp auf datt Brett is un dann donnoch Gold, da kannze ja nur staunen, hätt sich doch jeder andre krankschreiben lassen, er nich. Un zur Belohnung hatter Gold, un der spillerige kleine Schinese hat Silber un Jesus Bronze. Jesus Bronze? Ja, der heißt Jesus, un Jesus hat gezz Bronze, untie kleine Upphoff aus Düsburch mittatt Tanzferd hat Gold im Schrächgehen. Muß son Ferd eintlich nich inne Dopingkontrolle? Weil, sie sitzt ja bloß ohm drauf un döst, aber datt Ferd macht schließlich die Piruetten, müßte datt doch eintlich hinterher im Eimer pinkeln. Beinah wäret schiefgegangen, weil Rembrandt – datt is datt Ferd, nä – Rembrandt wollte ja ma ausbüxen un hießet auch so schön, ja, datt Ferd is schlau, datt hat auch andere Interessen – kann ich gut verstehen, Rembrandt. Un ich bin schon gespannt, ob unser Gürgen Hinksen inne nächsten Tage alles brav macht watter soll oder obber heimlich mit Jeannie Sünchronschwimmen übt für Holliwud, weil er donnoch andere Interessen hat…

(27.9.)

76

Ich haltse auffem laufenden

So, un gezz ganz schnell noch allernetzte Nachrichten:
In Deutschland richtense gezz preiswerte Volkshochschulkurse ein für zum Elfmeterschießen, daaf jeder hingehen, ihr auch, Jungens.
Un Rainer Henkel soll sich in Köln in ein Schwimmverein angemeldet ham – gut so, Rainer! Nich aufgehm! Schwimmen kann jeder lern, auch du, ich habbet ja auch gelernt –
un morgen sarich Ihn, warum die Sünchronschwimmerinnen immer so lachen, wennse ausset Wasser auftauchen – die müssen tolle Dinger mit ein tollen Hecht da unter Wasser erleben, datt willich mir ma ankucken. Ich haltse auffem laufenden, wie immer.
Willi! Gieß datt Alpenveilchen!

(27.9.)

Ein Briefchen von Gürgen

Gestern wa ich in dies Leichtathletikstadion, ja, warum wohl – unsern Gürgen wolltich sehn, unsern großen Spritzensportler Hinksen, schreibt man den gezz mit k oder mit g? Bestimmt mit k – un watt war? Weck warer schon, schneller wie der Schall, un ich dachte schon, der mach mich nich, da bringt mir einer ein Briefchen von ihm – der hat mir geschrieben! Un nett! Gürgen, Gürgen, datt hasse gut gemacht, mit sowatt kann man datt Herz von eine Dame immer brechen, nu kann ich ganich mehr alles sagen, wattich noch sagen wollte un wie ich dich immer gewarnt hab, kuck ers, wattie andern mache un dann mach datt auch – kannich nich, son Brief, wem sein Herz da nich bricht, der is aus Stein, Willi, denk dir nix, ich will den Schmerzensmann ja nu nich heiraten, un hatter ja auch Jeannie un geht mitse nach Holliwud Sünchronschwimm –

treib du auch ma Sport! Nich datte zehn Kilo mehr has unnen Blutdruck oben anne Lampe, wenn ich komm – un watt macht eintlich Frau Witterschlick dauernd bei dir? Ich hab gehört, die siehta nachem Rechten? Sach ihr, brauchtse nich, machich schon selber, un denk dran, wenn du mich ärgers – *mir* hat Gürgen Hinksen geschrieben!

Caal Lewis habbich gesehen gestern, von ganz nah. Der hat Pickel. Links. Hier anne Backe.

Ja nimmter denn nich die Creme, wo unser Steffi

immer für Reklame macht? Ich frach mich ja oft, ob datt überhaupt noch wirkt, ob tatsächlich Leute sich ne Creme im Gesicht schmieren, bloß weil Steffi datt tut – denkense, dann könnse auch automatisch Tennisspielen? Oder ob ein Mensch bei deselbe Bank dringend en Konto will wo Boris Becker seins hat, als wär datt dann auch automatisch so voll – alles Kokkelores, läßt sich Else Stratmann ganich von beeindrucken, ich trach ja aunnich Dirndelkleider, nur weil Carolin Reiber dadrin für Bayern Reklame läuft, gezz nur mal als Beispiel.

Aber in Sport isset wie überall – Kommerz, nä – neuerdings kriegen se ja wer weiß watt für Prämien wennse gewinnen, Auto, Rente, de Russen für Gold 10 000 Rubel, wovon se sich dann zuhause keine Appelsin kaufen könn – nix mehr turnen für Ehre un Medallje, alles Geld.

Un langsam weiß ich nich mehr, watt inne Welt sonz noch los is außer Sport – watt macht Möllemann? Wird in Deutschland auch anständich regiert, wenn ich nich da bin? Gibtet auffe Welt zur Zeit größere Probleme als watt unsere Fußballelf in Olümpia macht?

Scheinz nich, nä.

(29.9.)

Ein Hilferuf

Manfred Nerlinger, Fredle, wiese dich immer so nett nennen, paßt auch gut, Fredle, kannze ma nach Wanne-Eickel komm, wennze mit Hochheben da fertich bis, bitte, und mir helfen datt olle Sofa rübertragen in unser Inge sein Zimmer und den kaputten Kühlschrank nache Müllkippe?
Dir machtatt doch alle nix aus, un in dem Beruf als Kfz-Mechaniker kannze doch sowieso nu nich mehr aabeiten, mitteine Figur paßte doch unter kein Auto mehr drunter.
Und wennze dann da bis, erklärsse mir auch ma, warum ein Mensch in sein Leben 10 000 Ellefanten hochstemm muß, ja? Wüßtich zu gern.

(29.9.)

Wann kommt Stelzengehen?

Da fliegen wer auffen Mond un planen schon de erste Würstchenbude auffen Mars, abern Stock, der garantiert beim Stabhochspringen nich durchbricht, den gibtet nich – wo sind wer denn eintlich? Brichter durch! Da hättich ma unsern Gürgen sehen wollen, wenn dem datt passiert wär, hätter bestimmt gedacht, Daily hätten angesächt – ja, überhaupt, vielleicht hat Gürgen dem Daily sein angesächt – nänä, da gehört Raffinesse zu, datt hatter nich.

Aber dem Daily machtatt alle nix, der turnt einfach weiter mit diesen komischen Stock – auch sonne Sportart, wo ich immer denk, watt soll datt? Ich waate wirklich, wann Stelzengehen nach Olümpia kommt oder vonne Dächer runterspringen, wär doch aumma watt, Tiefsprung statt Hochsprung, oder Flaumenfannekuchenwettbacken, dann binnich auch dabei! Dann krichtie deutsche Hausfrau endlich ihre Schangse! Aber Stabhochsprung, nä, nich mitte Zange würdich datt machen, sehnse ja, bricht durch – sacht man ja auch schon im Sprichwort: den Stab über jemand brechen, un den unzerreißbaren Neilonstrumpf hamse ja auch bis heute nich erfunden. Wo der so schnell en andern Stab hergekricht hat? Reist der mit son ganzes Bündel, gehn die denn überhaupt im Fluchzeuch rein? Sowatt erklärt einem keiner ma, diese Sportreporter, alles wissense über Rekorde von neunzehnhundertnochwatt bis heute, aber nie ma watt rechts un links –

zum Beispiel wie kriegen die die Stange da oben immer so schnell wieder drauf, datt is doch fünf Meter hoch, muß da jedesma ein klein Koreganer extra für raufklettern? Ja, sowatt willich domma sehen! Un wenn die Koreganer Stabhochsprung kucken, die ham doch so schmale Augen – sieht ja schön aus, stell ich mir aber unpraktisch vor, müssen die den Kopp dann quer legen? Ja, datt wären Themen, aber da kommt nix. Die Koreganer nennen uns übrigens Langnasen.

Für mich stimmtatt ganich. Aber für unser Steffi. Gezz hatse schon Silber sicher, aber der Herr Deike sacht, nu brauchtse ma ne Pause. Nu, an mir sollet nich liegen...

(29.9.)

Florence und ihre Marotten

Diese Florence Griffel-Dingenskirchen, die beschäfticht mich –
jaja, Willi, dich beschäftichtse auch, weiß ich schon, weilse immer so knappe Sachen anhat, wo alles rausrutscht, so sollte ich ma rumlaufen, da würdet dir widder nich passen –
nein, mich beschäfticht die, weil, wenn ich der ihren Damenbaat ankuck untie dicken Muskeln anne Beine untie Zeiten, diese so läuft, dann werd ich datt Gefühl nich los, von Leberwurstbütterkes und Speckfannekuchen alleine kann datt aunnich komm.
Kannet vielleicht sein, datt die einfach Leute um sich rum hat, die besser rechnen können wie die von den aam Ben Johnson? Oder sindse bei sonne schöne modische Dame nich so streng? Oder hamse Angst vorse, weilse ne Boa constructa als Haustier hat? Die hat ja ma Marotten, lange Fingernägel mit 30 verschiedene Faaben, Hosen mit nur ein Bein wenn überhaupt, goldene Lidschatten passend fürde Goldmedallje, also da sahen wir früher inne Turnstunde anders aus.
Überhaupt kommta immer mehr modischer Schnickschnack auf – einer is heute mitte Sonnenbrille bei Stabhochsprung angetreten, ja sonz noch watt, bald gehnse mit Pelzmäntelchen schwimm, un bloß die Boxer, die dauernd Ärger mit dusselige Punktrichter ham, die de Schläge nich richtich

zählen könn – neunzehn hamse gezz schon nach
Hause geschickt deswegen –, bloß de aam Boxer
laufen rum mit ihren Plastikeimer auffen Kopp
unnen Stück Appelsinschale im Mund un unprak-
tische Handschuhe an, na gut, vielleicht sindse
praktisch, aber ne schlanke Hand machense nich.
Un für de Boxer wär auch gut son elektrischen
Anzuch, wiesen beim Fechten ham – bei jedem
Schlach leuchtet ne Glühbirne auf, dann weiß auch
der dösichste Punktrichter: Datt hat gesessen, un
der Kollege kricht ein gewischt un überlechtet sich
datt nächstema, un dann bleim auch de Köppe heil
un wernse im Alter nich alle wie Muhammed Ali,
sehnse, die sollten mich ma für Olümpia als Berater
holen, ich hätt da schnell Zuch reingebracht in den
Laden!

(29.9.)

Bier und jodelnde Koreganer

(Frau Stratmann beginnt mit Jodeln, auf einen vorher gesendeten Film reagierend)

Ein Koreganer, der jodeln kann! Da sehnse ma widder, watt Reisen bildet, datt habbich nu wirklich nich gewußt, dattse sowatt hier auch könn.
Ja, watt ham wer heute bei Olümpia alle gelernt? Datt der Fredle Nerlinger der Nurejew im Gewichtheben is, weiler 10 000 Ellefanten hochheben kann – nich auf einma, hinternander. Auf einma ging ja ganich, so viele gibtet ganich mehr. Un ich weiß noch watt, watt Sie nich wissen:
Dies deutsche Haus hier, wose unser Vatterland mit repräsentieren während de Spiele, die ham 3000 Litter deutsches Bier zuviel mitgebracht. Un nu überlegense, obset weckschütten oder widder mit nach Hause nehm – aber datt kost 700% Zoll, also schlach ich vor, ich geh mitte jodelnden Koreganer da gezz hin, un wir machen uns en schön Tach – Willi, du weiß, wo ich de nächsten Tage gezz bin, nä...

(Sie jodelt und singt dazu Whitney Houston, »One moment in time« leicht verändert, »Gib mir ein Omlett mit Leim...«)

(29.9.)

Unser Goldsteffi

Unser Steffi. Unser Goldsteffi. Unsern klein blonden Wonneproppen! Zu zu schön, nä, gezz is der Pappa aber stolz, un nu kann domma Ruhe sein mit Tennis, oder nich? Gezz wissen wer doch alle, wie et geht.

Obwohl – soll ich ma ganz ganz ehrlich sein?

Ich versteh nix. Ich habbet gezz hundertma gesehen un weiß immer nonnich, watten Matschball is. Oder dieser Teibränk. Un warumse grade anfang zu spielen, un schon heißtet 15-30-40. Alles durchenander, keine Ordnung inne Spielregeln, un keiner, der ma wat erklärt.

Ich komm aus kleine Verhältnisse, da gabet kein Tennis, datt wa watt fürde Zahnaazttöchter, wir gingen mit Oppa auf Schalke, mit Vatter auf Borussia un mit Onkel Hans auf Rot Weiß Essen – also watten Fallrückzieher is, datt weiß unserein –, aber datt hat sich geändert, nä – Steffi sein Vatter wa Autoverkäufer un sie gezz Millionär, in so kleine Sachen mit Schangsen für jeden klappte Demmokratie ja immer ganz gut, et hapert bloß im Großen, Bronze hat für Ammerika ne Schwatte, die durften aunnich zu alle Zeiten auffe Tennisplätze, also schon gut, datt sich da ma watt tut.

Wenn ich nur ma wüßte, watt ne Rückhand und watt ne Vorhand ist. Is denn Hand nich Hand?

(singt)

Hand in Hand, lalala...   *(1.10.)*

86

De blaue Flecken

Bißken viel Ballgespiele is mir datt heute – im Wasser un mitten Hockeystock un Hand un Volley un Fuß un Tennis, nu is aber gut, ich sach ja schon, hättense den Ball nich erfunden, wärnse aam dran in Olümpia, müßten wer noch mehr Nasenklammernschwimmen kucken. Datt is ja wahnsinnich beliebt, Sie – Hallen sind immer halb leer, weil der Koreganer ja so fleißich is unnen ganzen Tach inne Firma, hatter für so Sperenzkes gakeine Zeit, aber Sünchronschwimmen, datt findense alle wunderba, da is voll, un datt is nu bei mir immer der Moment, wo ich mir im Keller nochen Bier hol, gezz ma als Beispiel. Vielleicht träumen die Leute davon, dattet doch möchlich is, Nixe zu sein, aber dann müßten die ja unten en Fischschwanz ham un oben nackend, un damit kämse weder bein Tierschutzverein noch beide Zensur durch.

Eins mussich noch sagen zu de Koreganer. Gezz kenn ich se ja schon ganz gut, nä, un sindse auch meist nett un freundlich, vonne prügelnde Polizei siehsse ja als Turist nix, datt is wie bei uns, wer datt Heidelberger Schloß besucht, kricht aunnich mit, watt bei Wackersdorf los is, aber watt wir so sehen – doch, lieb un nett, annyong hashimnika un khamsa hamnida un watt nich alle überschlagense sich mit, aber eine Eigenschaft hamse, die macht mich langsam fuchtich: datt ganze Volk schubst. Die schubsen un rempeln und haun dir de Ellenbogen inne Seite, da weicht aber auch keiner ma ein Zentimeter aus. –

Willi! Wenn ich gezz nach Hause komm un nehm en Bad nache lange Reise un zieh mich aus un du linst schomma durche Tür – un datt will ich wohl hoffen, dattu da ma durche Tür linst, schließlich warich drei Wochen weck –, dann wunder dich bloß nich über de blauen Flecken, die ich hab – am ganzen Körper blaue Flecken, datt is dem Koreganer seine Handschrift, aber anders kommze hier scheinz nich durche Gassen mit zehn Millionen Leute, wenn ich noch lange bleib, mach ich et selbs so.

(1.10.)

Man ringt sich durch, nä

Gestern habbich mir datt Fußballspiel angekuckt,
nä, unsre gegen Italigen, wa jan Jammertal für de
Italigener, tatense mir derekt leid, aber ich muß ja
für Deutschland sein, nä, gehört sich so – unten
deutschen Kaiser habbich gesehen! Persönlich, mit
diese Augen, Franz mitte Neue in ein Kraftwagen,
is derekt an mir vorbeigefahren, un ich hab so
wehmütich anne alten Zeiten gedacht, wo Brigitte
ihm noch beigebracht hat, wie man inne Oper
klatscht un vor allem wo, un gezz gibtet Diane ja
auch nich mehr in sein Leben, nu heißtse – wie
heißtse denn? Krisela? Sabine? Weiß ich gezz ganich, eh ich mich dadran gewöhn, will ich auch
ersma kucken, wie lange et hält.
Im Stadion fliegen immer noch de Tauben vonne
Eröffnungsfeier rum un denken, verdorri, wo gehtet
denn hier raus? Bleibt drin, Vögel, draußen gibtet
für euch soweso in Seuhl keine Bäume, un wie ich
den Koreganer kenn, landet ihr da inne Fanne mit
tüchtich Kimschi auffe Flügel.
Nu kommt noch feste Leichtathletik, wie et immer
so hochgestochen heißt, ich sach da Turnen für –
watt turnense nu noch? Scheibeschmeißen, mit ein
Stock umme Wette renn, also Stock inne Hand,
auch sonne Idee, warum en Stock, warum nichen
Reibekuchen, könntense unterwechs bei essen,
dann kriegen wer noch Ringen rein heute – auch
sowatt wo ich nich hinkucken kann, also da ring ich

schon lieber wie bisher mit mein Schicksal, statt mit einen schwitzenden dicken Kerl in ein Spielanzuch –
apropos Ringen, Willi,
ring dich durch un fahr nachen Supermarkt, kauf lecker ein, ich komm bald un kann nu kein Kohl mit Knobloch mehr sehen, kauf Katoffeln! Ich träum Tach un Nacht von eine große leckere Fanne mit Bratkatoffeln, weil, wennet hier auch schön ist, Koreganerin werd ich im Leben nich – dscho nun dogil saram imnida, ich bin ein deutsches Mädel.

(1.10.)

Sünchronschwimm

Lateinamerikanische Formation nu aunnoch unter Wasser! Also, nä, wattenn nu noch alle. Datt sieht schon an Land merkwürdich genuch aus, un nu aunnoch auf See, un noch dazu zwei Mädels – warum denn nich wenichstens, wenn schon Wasserballett, ein Herr un eine Dame? Könntense sich auch unter Wasser de Zeit besser vertreiben, aber – et scheint ja auch so zu gehen, se sind immer am Lächeln, wennse hochkomm, aber vielleicht isset ja auch nur so wie der Dichter sacht: Immer nur lächeln un immer vergnücht, doch wies dadrinnen aussieht, geht kein watt an. Wie et da draußen aussieht, sehn wer ja: Perlenmützchen, Wäscheklammer inne Nase un Kleister im Gesicht un dann tapfer durch –
bei dies Sünchronschwimm habbich immer datt Gefühl, datt is ein einzigen Kampf ums Überleben, aber in netter Form. Unnoch de Luft zweieinhalb Minuten anhalten, ma sehn, wie lange zweieinhalb Minuten is...
(Es sei verraten: Frau Stratmann schafft es nicht)
(1.10.)

Letzter Blick zurück

Tja. Nu is Olümpia schon widder vorbei un ich mach datt Fenster zu un fahr nach Hause.
Vieles wa ja sehr geheimnisvoll, nä?
Irgendjemand hat dem Johnson ne klebrige Flüssichkeit angedreht;
irgendjemand hat heimlich eimfach nich geschossen, wo doch unser Gürgen schon am Loslaufen wa;
irgendjemand hat den Rainer Henkel ne Tüte Bazillen im Kaffee getan, wo er nich mehr von schwimmen konnte;
irgendjemand hat mir immer neue Hüte angedreht;
un irgendjemand hattie Uhr dauernd so verstellt, dattet zu Hause ewich anders spät wa als hier un werden wer alle ganz verrückt noch von.
Lauter Fragen, die nich ma Frau Stratmann beantworten kann un wo der Mensch sich demütich zurückziehn muß untie Füße hinter Ohren stecken, sich auffe Kokosmatte setzen un nachdenken – über datt Leben; über Olümpia; un überhaupt.
Wiedersehn.

III. Und Dingens...

Ausgerechnet Korea

Et mußte ja ausgerechnet Korea sein, nä. Nich dattich watt hätte gegen den Koreganer an sich, aber ersma brauchsse schon von Wanne-Eickel nach hier sechzehn Stunden, nä. Über ganz Rußland, Indigen un Schina musse, bisse endlich in dies Seuhl bis, un dann weiß kein Mensch, wie man datt nu richtich ausspricht un hamwer widder dattselbe Theater wie damals bei den Lech Walesa: Wallessa, Walensa, Wauensa, watt hamse sich nich alle abgebrochen, un gezz Seuhl, nä. Die ein sagen Suhl, die andern Sohl, aber wenn der Koreganer datt e nich wollen würde, hättert ja wohl nich hingeschriem, also ich sach Seuhl un aus.

Obwohl, die sind überhaupt so komisch mit ihre Sprache hier. Kuckense, der ihr Staatspräsident vonne Demmokratische Gerechtichkeitspatei, nä, datt is der, der gezz versprochen hat, datter auch wirklich ma demmokratisch sein will, datt is der Herr Roh Tae Woh. Roh Tae Woh, so schreibter sich. Un wie spricht man datt? No Te Wu, könntich schon widder zuviel kriegen, überhaupt verstehsse hier kein Wort. Die sprechen nu wirklich sowatt von fremd hier, dattich mich wunder, dattse sich unternander überhaupt verstehen, un soga kleine Kinder könn datt schon! Aber Else Stratmann kommt ja überall zurecht, wenn ich sach, bringense ma noch son Bier, dann krich ich auch noch son Bier, obwohl eintlich heißtatt: »Maekaju han byung!« (Willi, apropos maekju, nä, Bier, wenn datt gezz losgeht mit Olümpia, trink ja nich zuviel Bier, ich kenn dich, wenn ich nich aufpaß! Hasse gesehen? Der Koreganer macht Gümnastik am Aabeitsplatz, datt solltes du auch ma machen! vor dein Aabeitsplatz Fernseher, hörsse?)

Wo warich?

Ja. Korea. Land der Morgenstille. Von wegen, merk ich nix von, Morgenstille inne Stadt mit 10 Million Einwohner, die alle auf Aabeit fahren un dauernd am Hupen. Morgenstille, datt wa vielleicht ma in graue Vorzeit, wo der Urvatter Tangun ein Bär in eine Frau verwandelt hat un dann hamse Korea gegründet, da mach noch Morgenstille gewesen sein, aber gezz hamwer hier datt Wirtschaftswunder, un wie sowatt aussieht wissen wer ja von uns, überhaupt is viel ähnlich. Wir sind längs durchgeschnitten, die quer, also der ihre Ostzone is mehr ne Nordzone, nä. Un weilse Angst ham dattie während Olümpia ruppich wern, hamse 700 000 Mann Soldaten hier rumzustehen. Ich glaub 500 000 davon kenn ich gezz schon, die siehsse auf Schritt un Tritt. So, Schluß gezz, ich muß aufhören, ich geh gezz diesen Kohl essen wose soviel Knobloch drantun datt ganz Korea danach riecht – Land des Morgenduftes mehr so, nä.

(17.9.)

Der Koreganer an sich

Dies Korea! Wenn man et nich sieht, man glaubtet nich. Der Asiate an sich, nä, also, da gibtet kein, der ma blond wär, deshalb sind die schwerer zu unterscheiden wie unsereins, nä. Willi würde ja verückt hier unter lauter Ausländer, weil, hier wär er der Ausländer, un sowatt kanner ja überhaupt nich haben. Dabei sintie sowatt von freundlich, könnten wer uns ma ne Scheibe ab von schneiden – immer lächeln, Land des Lächelns, nä, immer nett verbeugen, reizend. Und watt sind wir Deutschen oft ruppich mitse, bei uns muß immer alles gehn wie wir datt wollen, Ordnung, Sauberkeit und Frische, nä. Obwohl – hier musse auch essen watt auffen Tisch kommt, datt gibt keine Bratkatoffeln in Korea. Die essen ja auch schomma Hund, nä, aber is während Olümpia streng verboten, damit uns datt Herz nich bricht – nuja, wir müssen grade so tun, watt wir mitte Mastkälber machen, is aunnich von schlechte Eltern, un de Hunde tun wer ja auch schomma gerne anne Autobahn, wenn wer se nich mehr brauchen, un hier essense se ehmt, weil Wiesen für Kühe hamse nich, is ja alles Betong. Obwohl –

ich möcht ja kein son Hund essen, un wie ich neulich so der ihr Nationalgericht gegessen hab, diesen Kimschikohl mit Knobloch un Bulgogi, datt is so kleingeschnibbeltes Fleisch, wattse auffen Tisch ers kochen, da habbich auch ein Moment gedacht, huch! nachher is datt ga nich Bulgogi, nachher is datt Bulldogi, aber da muß man durch, Herrschaften, andre Länder, andre Sitten. Aber diese Stäbchen! Ich kann mich nich dran gewöhn mit so Stöcke essen, wofür soll dattenn auch gut sein, sagense ma? Datte dich da abrackers für ein Reiskorn zwischen zwei Stöcke kriegen un has Hunger wie zehn Seifensieder un alles fällt dir auffem Kostüm statt dattet im Mund kriss? Watt machtet der Asiate sich unnötich schwer, hörnse ma! Aber der hat ja ma de Geduld weck, der kann ja auch stun-den-lang mit untergeschlagene Beine sitzen, kennter nix, keine Krampfadern, de Füße schlafen nich ein, kann der einfach.

Ich hab mir gezz son Gäbelchen gekauft, wennet ga nich mehr geht, zieh ich datt heimlich ausse Tasche un dann wird rasch geschaufelt. Un hinterher son Reisschnäpsken, siehte Welt schon widder anders aus.

Ja, Reisen, nä. Bildet ehmt doch, so gesehen. Watt wir verwöhnt sind in Europa, hörnse ma – da kannze hier watt lernen. Fümmendreißichstundenwoche? Drei Wochen Urlaub? Ladenschluß? Die husten dir hier watt. Der Koreganer geht zehn Stunden im Geschäft, sechsma inne Woche, un wenner Glück hat, krichter sechs Tage Urlaub im Jahr, aber son Glück hamse nich alle, da würde hier mancher kucken. All die klein Fernseher, nä, datt will gebastelt sein, für Korea tun die alles. Un die sind sowatt von glücklich wegen Olümpia! Gezz kuckt die ganze Welt un kann der Präsedent nich mehr so frech umspringen mittatt Volk, un Japan kuckt un ärgert sich, die gönn ja dem Koreganer nix, un Nordkorea kuckt ers recht, datt sind ja Kommenisten wie bei uns. Also wie unsre, Sie wissen schon, die widder de ganzen Medalljen kriegen. Die dürfen hier nich ma tellefonieren, Nord- u. Südkorea, keine Post, keine Rentner rübber, nix. Grenze zu un aus, so gesehen sind unsre schon richtich großzügich, datt daaf man denen aber nich sagen, sonz bildense sich noch watt drauf ein.

Nuja. Ich kuck mir datt alle ma in Ruhe an un werdse auffen laufenden halten. Un gezz mussich widder Knobloch essen gehn, weil wennze datt hier nich jeden Tach selber ißt, hälsset nich aus. Schade, datt man nach Nordkorea nich ma tellefonieren daaf, ich wüßte zu gerne, ob datta auch so is, oder ob der Kommenismus soga mitten durchem Knobloch geht!

(19.9.)

5000 Jahre Kohl

Montachs Bulgogi mit paekpan un Kimschi, dienstachs haengmyon un Kimschi, mittwochs indaettok un Kimschi, un nu riechense ma:
(Frau Stratmann haucht in die Kamera)
meiner Meinung nach muß datt bis nach Deutschland riechen, dieser Knoblochkimschi. Wenn datt gesund sein soll, un sollet ja, dann müßtich hundert Jahre alt wern nach dies Seuhl, brauch ich nich ma mehr Ginseng essen. Knobloch un Kohl, watt sich die einzelnen Völker nich immer alle als lecker ausdenken – apropos Kohl, unser Helmut Kohl hatten Tellegramm hier nach Olümpia geschickt, dattet ne Auszeichnung wär, zu de Weltelite der Sportler zu gehören, nu, Helmut, dann nimm dir da man Beispiel dran un versuch, dattu zu de Weltelite der Bundeskanzler gehörs!
Is ja schon fremd, son fernes Land, Sie, für unserein – ers konntich ja de Leute aunnich außenanderhalten un dachte, datt ein Koreganer aussieht wie der andere, is aber Kokkelores, wennze richtich hinkucks, gibtatt Schöne un Schäbbige, Dicke un Dünne, genau wie bei uns, un außerdem is Schönsein soweso Geschmacksache, Jeannie Hinksen findet ihren Gürgen en Frauentyp un ich mein Willi, un da sind Welten zwischen.
Apropos, Willi, du muß nomma nachmessen für den Anzuch, den ich dir hier nähen laß. Im Schritt. Meß datt aber selber, laß datt nich Frau Witter-

schlick machen, un dann schreib mir de Maße, datter Anzuch fertich wird.

Weil, die nähen ja hier unwahrscheinlich billich, überall sitzen fleißige Schneiderlein un nähen für de Ausländer Hemden fürn Appel unnen Ei, mit untergeschlagene Beine, wo ich längst Krampfadern von hätte. Inne Kunst auch – die ham ja schon 5000 Jahre Kultur hier, falls Sie datt nich wußten, un 5000 Jahre Kohl, können Sie sich vorstellen, 5000 Jahre Kohl, furchba, da muß man auch ers ma durch.

5000 Jahre in Schneidersitz mit ein winzigen Pinsel goldene Striche auf Bambus malen, habbich mit eigene Augen gestern gesehen, gestern warich nämmich Kultur kucken.

Ich weiß gezz nich, ob son Sportfan wie Sie, ob der weiß, watt Kultur is, oder ob der nur Korbball, Damensäbeln un Brustkraulen kennt – also Kultur, datt is zum Beispiel »Reich mir die Hand mein Leben« oder Göthe – datt war ein deutschen Dichter, der hatte ein Techtelmechtel mitt eine Dame die hieß Lotte, so, un wie heißtatt größte Kaufhaus in Seuhl? Lotte. Weil der Besitzer mach den Göthe so gern, die kenn unsre Kultur, un wir kenn der ihre nich, sonz hieß ja unser Kaastadt aunnich Kaastadt, sondern nach eine koreganische Dame, aber dann müßter jeden Tach anders heißen, denn son Könich zum Beispiel, der hatte manchma 3000 Geliebte hier. (Gezz wird sich widder irgenzon Schlauberger aufregen, weil ich Kaastadt gesacht habe, aber wenn der Kolbe hier in ein Schiff rumfahren daaf, wo Kaffee Haach draufsteht, dann ist ja allmählich wohl alles erlaubt.) So, gezz mussich widder Sport

101

kucken, erzähl ich Se nachher noch watt von, obwohl, bißken Kultur muß aumma sein, weil:
Gun gang han yukche ie gun chun han chung schin i Yid da.
In ein gesunden Körper wohnt *auch* ein gesunder Geist.

(21.9.)

Alles wegen diesen Konfuzius

Habbich datt eintlich schomma erklärt, warum der Koreganer datt Wirtschaftswunder so gut hinkricht? Gut, er aabeitet zehn Stunden am Tach, sechs Tage inne Woche, un wennet sein muß, schläfter aunnoch inne Firma in ein Firmenschlafsaal, aber datt isset nich nur, et is auch wegen diesen Konfuzius. Nein, Willi, nich watt du gezz meins, wenn ich so sach, na, du ollen Konfuzius, weisse widder nich, wode deine Plörren hingelecht has?
Der ihr Konfuzius wa sonne Aat Fillosof un Lehrer, un der hat gesacht, also watte brauchs is a) Liebe, datt is chung (chong), b) Weisheit, datt is chi, un c) Aufrichtichkeit, datt is hsin (Shin), un dann kommt alles andere von alleine, also ich hab datt gezz vielleichten bißken abgekürzt, aber so ungefähr, un datter Staat da Vorbild sein soll un seine Bürger datt vorleben, ach seinse doch so freundlich un sagense datt zu Hause ma ehmt weiter anne Bundesregierung, ja, ich kann ja nich, ich bin ja grade hier in Korea, schön Gruß von Frau Stratmann, bißken mehr chung chi hsin könnt nich schaden, falls die sich dadrunter überhaupt noch watt vorstellen könn.
Ja, un dann wolltich schnell noch watt zu den Türke sagen, diesen Suleyman Dingenskirchen, der da im Hochheben Gold gewonn hat. Datt war ein gekauften Türke, also datt war eintlich ein Bulgare, un den hattie Türkei eingekauft für zum Gewin-

nen, ja verdorri, un warum ham wir den denn nich
gekauft? Wir ham doch sonz alle Türken, ich denk,
Berlin is die zweitgrößte Stadt der Türkei? Hätter
doch auch für uns en bißken Gold heben könn, nuja,
vorbei, Else, rech dich nich auf, denk am Konfuzius,
chung chi hsin, Liebe – gönnet ihm, Weisheit – pfeif
auffe Medalljen, Aufrichtigkeit: gezz binnich
müde, gezz geh ich im Bett, hier isset gleich Mitter-
nacht, gute Nacht, annyong hashimnikka.

(21.9.)

De Sommerzeit

So, gezz wirtet ganz furchba, Moment.
Also.
Hier bei mir in Seuhl isset gezz elf Uhr morgens.
Und datt bleibt auch elf Uhr morgens.
Aber in Wanne-Eickel isset von Haus aus schomma
acht Stunden *früher* –
früher?
Nä, acht Stunden *später,* weil ich bin ja in Osten
vonne Welt, un in Osten gehtie Sonne eher auf –
dann isset bei uns – schon später, weil de Sonne ja
schon aufgegang is, also isset bei euch zu Hause
noch früher, weil ihr noch inne Betten liecht. Also,
et is spät bei euch, aber früher – wie spät wär datt
gezz?
Waate, elf Uhr hier – acht Stunden, dann isset bei
euch gezz 19 Uhr ahms – ach nä, ihr liecht ja inne
Betten, da liecht man ja nich um 19 Uhr ahms, dann
isset elf weck acht is – is – istatt drei? Ja sicher, datt
is drei. Bei euch isset gezz drei.
Isset aber nich. Weil, als obbet nich schon reicht,
hamse sich nu aunnoch de Sommerzeit ausgedacht. O Gott, Else, gibbet auf, da kommze doch
nie durch –
nix, mussich. Da mussich gezz durch. Also: Sommerzeit heißt, wennse aufhört, wirtet früher dunkel.
Dunkel isset ja noch bei euch, muß ja ersma widder
hell werden. Ihr habt gezz drei Uhr, in Wirklichkeit

is datt aber schon vier – nä – dann wär der Zeitunterschied ja bloß noch sieben Stunden, aber datt
geht ja nich, Schina schrumpft ja nich plötzlich
zusamm, un ich binne Stunde näher –
der is *länger*, der Zeitunterschied. Der is gezz neun
Stunden – bei euch isset ers zwei – also de letzte
Stunde habter ganz umsonz geschlafen, müßter
nomma, bisset endlich drei Uhr ist, obwohl –
wo woll die Stunde denn auf einma herkomm? Die
fliecht ja aunnich einfach so durche Gegend, un
jeder kann sich eine nehm, wie ert grade braucht –
Willi! Ruf ma an un sach, wie spät datt gezz bei euch
is, hier isset immer gleich, bloß du brings widder
alles durchenander. Habter wenichstens auch
Sonntach? oder noch Samstach? oder schon Montach? Stehstu gezz früher auf nachher oder kannze
länger liegenblieben? Herrgottnomma, reichtet
nich schon, wenn wer alle anders sprechen auffe
Welt, anders aussehen, anders essen un bezahlen,
musset nu aunnoch verschieden spät sein? Datt
verstehtoch kein Mensch, wattse sich da widder
ausgedacht ham, alles bloß, weil die Erde sich dreht
un nich stillstehn kann un abwarten, bis de Sonne
einma rum is. Nä, die Sonne dreht sich ja nich –
doch, wohl, un der Mond muß –
Ach, hörnse doch auf, gezz wirdet mir zu dummhapp. Ruf an, Willi, sach mir, wie spät datt is, wie
sich de Bundesregierung da entschieden hat, un vor
allem versuch du ma, datte datt den Hund erklärs,
der will um acht Uhr raus. Ja, un dann isset aber
schon neun – nä, ers sieben – ach, leckense mich
doch inne Täsch un erklären Sie datt doch dem
Hund! (25.9.)

106

Kannze donnich schlau
draus wern

Gezz redense alle nur noch von dies Doping, nuja,
ich hab ja auch schon gesacht, wattich davon halt,
un ich wollt nur nomma sagen, kuckense, der ammerikanische Präsident, Dingenskirchen, Regen,
der nimmt ja auchen ganzen Tach Gummibärchen,
sonz könnter nich regieren, tja – wo fängt Doping an
un wo hörtet auf, nä? Wittamine, sachter Johnson,
hätter genomm – ich eß auch jeden Morgen meine
Wittamin-C-Brausepille un kann trotzdem nich so
schnell laufen, un Willi, dir wolltich noch sagen,
mäh aumma den Rasen – nich dattat alle wer weiß
wie wuchert, kannz ja zwei Flaschen Bier als Doping bei trinken, dich kontrolliert ja keiner, ich seh
et nich, ich bin ja hier in Korea.
Ich bin immer noch gerne da, Sie, is ja doch span-
nend, son fremdes Land – gezz sindse wütend, weil
wohl datt Fernsehen nich immer nett berichtet
über se, wose doch extra Hunde- und Katzenbraten
für de Spiele abgeschafft ham un de ganze Stadt von
Schulkinder mitte Zahnbürste blitzeblank ham
schrubben lassen – un trotzdem heißtet inne Welt-
presse, wär alle son bißken schmuddelich – meine
Zeit, watt machtatt schon, erstens ma sindwer in
Asien, da siehtet nu ma nich aus wie in Hamburch
inne Oper, un zweitens, datt hättich euch gleich
sagen könn, datt nur extra für zum Eindruckma-
chen aufräumen nix bringt – datt is, als ob de

Hausfrau alles, watt rumliecht, schnell im Wand-
schrank stoppt, weil plötzlich Gäste komm, un
dann siehtet piccobello aus, un watt is? Einer vonne
Gäste vertut sich mitte Klotür, machten Wand-
schrank auf untie ganzen Plörren fallen inne Diele.
So tun als ob hat nonnie watt gebracht. Is doch so
schön, eurer Korea hier, mitten bißken weniger
Millitär un Pollezei wäret noch schöner, datt
müßter noch hinkriegen. Aber sonz - Küche is
lecker, Sonne scheint schön, auffen Maakt gibtet
nix, wattet nich gibt – gut, fast nix, Mazzipankatöf-
felkes un Speckelazius habbich nonnich gesehen –
bloß de Sprache! De Sprache! Ich kann mich nicht
dran gewöhn – unte Zeitung – hier, kuckense –
sowatt mussich jeden Morgen lesen, lecht mir der
nette Herr Kim – Kim heißense übrigens alle –
immer neben em Frühstückskimschi – sehnse,
schon widder Kim –
da! Bloß Gekrakkel! Kannze donnich schlau draus
wern! Un ich sach gestern, Kim, sarich, uae iɾekke
ǫroǫum guḷul ssǫyo? Warum schreibt ihr bloß so
komisch?
Tja, Frau Stratmanan, sachter, nul geɾaes ssǫyo,
datt wa schon immer so.
Ja, dann!

(27.9.)

108

Inhalt

III. Und Dingens...